Ian McEwan
Am Strand

Roman
Aus dem Englischen von
Bernhard Robben

Diogenes

Titel der 2007 bei Jonathan Cape,
London, erschienenen Originalausgabe:
›On Chesil Beach‹
Copyright © Ian McEwan 2007
Umschlagillustration: Félix Vallotton,
›Weißer Strand, Vasouy‹,
1913 (Ausschnitt)
Foto: Copyright © Hans Hinz /
Artothek

Für Annalena

Eins

Sie waren jung, gebildet und in ihrer Hochzeitsnacht beide noch unerfahren, auch lebten sie in einer Zeit, in der Gespräche über sexuelle Probleme schlicht unmöglich waren. Einfach sind sie nie. In der Hochzeitssuite eines georgianischen Landhaushotels setzte sich das Brautpaar zum Abendessen an den Tisch. Nebenan sah man durch die offene Tür ein ziemlich schmales Himmelbett, dessen Überwurf so makellos weiß und so erstaunlich glatt gestrichen war, als hätte ihn nie eine Menschenhand berührt. Edward erwähnte mit keinem Wort, daß er zum ersten Mal in einem Hotel übernachtete, wohingegen Florence, die ihren Vater als Kind auf vielen Reisen begleitet hatte, als Dame von Welt gelten konnte. Auf den ersten Blick schienen sie beide gehobener Stimmung zu sein. Ihre Hochzeit in der Kirche St. Mary in Oxford war reibungslos verlaufen, der Gottesdienst erbaulich gewesen, der Empfang vergnügt, der Abschied von Studien- und Schulfreunden fröhlich und turbulent. Anders als befürchtet, hatten sich die Eltern von Florence nicht herablassend gegenüber Edwards Eltern benommen, und Edwards Mutter war auch nicht aus der

Rolle gefallen, hatte sogar den Anlaß der Feier nicht völlig vergessen. In einem kleinen Auto, das der Mutter von Florence gehörte, waren die Frischvermählten davongefahren und am frühen Abend im Hotel an der Küste von Dorset angekommen, das Wetter ließ sich zwar weder den Umständen angemessen noch ideal für Mitte Juli nennen, war aber ganz passabel: Es regnete nicht, doch fand Florence es auch nicht warm genug, um auf der Terrasse vor dem Haus zu essen, was sie eigentlich gern getan hätten. Edward war anderer Ansicht, aber viel zu rücksichtsvoll, als daß er auch nur daran gedacht hätte, ihr zu widersprechen, schon gar nicht an diesem Abend.

Also aßen sie auf ihrem Zimmer – die Glastür einen Spalt geöffnet, so daß sie auf den Balkon sehen konnten, auf den Ärmelkanal und den endlosen Kieselstrand von Chesil Beach. Von einem Servierwagen im Flur bedienten sie zwei junge Männer im Smoking, bei deren Kommen und Gehen durch die Hochzeitssuite die gebohnerten Eichendielen in der Stille komisch knarrten. Der stolze, fürsorgliche Bräutigam aber achtete eifersüchtig darauf, daß die Bewegungen und Mienen der Bediensteten nur ja keine Belustigung verrieten. Er hätte nicht das leiseste Kichern geduldet. Doch die Burschen aus dem nahe gelegenen Dorf bedienten sie mit gebeugtem

Rücken und verschlossenem Gesicht; ihr Benehmen wirkte zaghaft, und ihre Hände zitterten, wenn sie etwas auf dem gestärkten Leinentischtuch abstellten. Sie waren selbst nervös.

In der Geschichte der englischen Kochkunst war dies nicht gerade eine ruhmreiche Zeit, doch bis auf Besucher aus dem Ausland störte sich damals niemand daran. Und wie seinerzeit so viele Festessen begann auch dieses Dinner mit je einem Stück Melone, verziert von einer einzigen Cocktailkirsche. Im Kerzenlicht der Warmhalteplatten warteten auf silbernen Tellern bereits seit längerem gebratene Rindfleischscheiben in einer Mehlschwitze, dazu gab es weichgekochtes Gemüse und bläulich schimmernde Kartoffeln. Der Weißwein kam aus Frankreich, woher genau, war nicht zu erkennen, da das Etikett einzig eine pfeilschnelle Schwalbe zierte. Einen Rotwein zu bestellen wäre Edward nicht in den Sinn gekommen.

Während nun Edward und Florence sehnsüchtig darauf warteten, daß die Kellner sie allein ließen, wandten sie sich auf ihren Stühlen dem Ausblick zu und betrachteten den breiten, moosigen Rasenstreifen mit der dahinterliegenden Wildnis blühender Bäume und Büsche, die sich an die steile Küstenböschung klammerten. Sie konnten einige schlammige Stufen erkennen, einen Pfad, gesäumt von in die Höhe geschossenen Gewächsen, die wie gigantischer Rhabarber oder Riesenkohl aussahen und deren Stengel sich unter dem Gewicht dunkler, dickadriger Blätter beugten. In ganzer Pracht breitete sich der Garten vor ihnen aus, sinnlich, beinahe tropisch, eine üppige Fülle in dem grauen, weichen Licht vor dem hauchzarten Dunstschleier über dem Meer, das in stetigem Wechsel von Angriff und Rückzug wie leiser Donner grollte und dann wieder über die Kiesel zischelte. Nach dem Essen wollten sie ihr festes Schuhwerk anziehen und auf der berühmten Landzunge von Chesil Beach zwischen dem offenen Meer und der Fleet-Lagune spazierengehen. Sollten sie den Wein bis dahin noch nicht ausgetrunken haben, würden sie ihn mitnehmen und sich wie verwegene Seeräuber gelegentlich einen Schluck aus der Flasche gönnen.

Sie hatten so viele Pläne, hochfliegende Pläne für die neblig verhangene Zukunft, vielfältig ineinander verwoben wie die Sommerflora an der Küste von Dorset – und ebenso schön: wo und wie sie leben wollten, wer ihre engsten Freunde sein würden, seine Stelle in der Firma ihres Vaters, ihre musikalische Karriere und was sie mit dem Geld anfangen würden, das Florence von ihrem Vater geschenkt bekommen hatte, aber auch, warum sie nicht wie andere Leute sein wollten, innerlich jedenfalls nicht. Zu jener Zeit – sie würde später in diesem legendären Jahrzehnt zu Ende gehen – empfand man Jungsein noch als Bürde, als ein Kainsmal der Bedeutungslosigkeit, einen leicht peinlichen Zustand, der mit der Hochzeit ein Ende fand. Einander beinahe fremd standen sie in noch ungewohnter Zweisamkeit vor einem Höhepunkt ihres Lebens, froh, daß ihr neuer Status versprach, sie von ihrer ewigen Jugend zu erlösen – Edward und Florence, endlich frei! Dabei gehörte die Kindheit zu den Themen, über die sie sich gern unterhielten, doch drehten sich ihre Gespräche weniger um deren Freuden als um den Nebel komischer Mißverständnisse, aus dem sie nun aufgetaucht waren, die überholten Erziehungsmethoden und die vielen Irrtümer ihrer Eltern, die sie ihnen nun vergeben konnten.

Von ihrer neuen Höhe herab hatten sie eine klare Sicht, doch konnten sie einander gewisse sich widerstreitende Empfindungen nicht beschreiben: Beide fürchteten auf je eigene Weise jenen Moment nach dem Abendessen, in dem ihre neugewonnene Reife auf die Probe gestellt werden sollte und sie sich voreinander vollständig entkleiden würden, um gemeinsam ins Himmelbett zu steigen. Seit mehr als einem Jahr war Edward von dem Gedanken daran wie benommen, daß der empfindlichste Teil seiner selbst an einem bestimmten Tag im Juli für eine gewisse Zeit, und sei sie noch so kurz, in der natürlichen Höhlung dieser fröhlichen, liebenswerten und so außerordentlich intelligenten Frau weilen würde. Die Frage, wie dies ohne Enttäuschungen oder Peinlichkeiten zu bewerkstelligen war, ließ ihm keine Ruhe. Dabei rührten seine Bedenken vor einer möglichen Übererregung, dem, was jemand einmal »zu früh kommen« genannt hatte, von einem einzigen unglückseligen Vorfall her. Schon der bloße Gedanke daran verfolgte ihn, doch so große Angst er auch vor dem Versagen hatte, sein Verlangen nach Glückseligkeit, nach dem Ende aller Zweifel, war weit größer.

Die Sorgen von Florence wogen schwerer, so schwer, daß sie auf dem Weg von Oxford nach Dorset immer wieder kurz davor gewesen war, all ihren Mut zusammenzuraffen und sich Edward anzuvertrauen. Doch was sie beunruhigte, ließ sich nicht in Worte fassen; sie konnte es sich selbst kaum verständlich machen. Während Edward bloß an der üblichen Nervosität vor der ersten Nacht litt, plagte Florence eine tiefsitzende Furcht, ein hilfloser Widerwille so heftig wie die Seekrankheit. Eine Zeitlang – während all der Monate, in denen sie voller Vorfreude ihre Hochzeit planten – gelang es ihr, diesen Schatten über ihrem Glück zu ignorieren, doch sooft sie sich in Gedanken jener engen Umarmung näherte – wie sie es lieber nannte –, zog sich ihr der Magen zusammen, und sie spürte Brechreiz in sich aufsteigen. In einem fortschrittlichen, modernen, für angehende Bräute angeblich hilfreichen, in fröhlichem Ton verfaßten Handbuch mit vielen Ausrufezeichen und numerierten Illustrationen war sie auf Übelkeit erregende Worte und Wendungen gestoßen: *Schleimhaut* etwa oder das bösartig glitzernde Wort *Penisspitze*. Andere Ausdrücke beleidigten ihre Intelligenz, vor allem jene, bei denen es ums Eindringen ging: *Kurz bevor er in sie eindringt* ... oder *nun endlich dringt er in sie ein* und *erlöst läßt sie, gleich nachdem er in sie eingedrungen ist* ... Wurde von ihr etwa erwartet, daß sie sich in dieser Nacht für Edward in ein Portal verwandelte, eine Art Vorhalle, durch die er Einzug hielt? Vor allem ein Wort schien ihr nichts als Schmerz zu verheißen: *Penetration,* ein Wort, als ob jemand Fleisch mit einem Messer zerteilte.

In optimistischeren Momenten redete sie sich ein, sie leide bloß an einer ausgeprägten Form von Überempfindlichkeit, die sich gewiß bald legte. Allerdings ließ allein der Gedanke an Edwards unter dem *erigierten Penis* – noch so ein abscheulicher Ausdruck – baumelnde Hoden ihre Oberlippe zittern; und schon die bloße Vorstellung, »da unten«

von jemandem angefaßt zu werden, und sei es von dem Mann, den sie liebte, fand sie ebenso widerwärtig wie etwa den Gedanken an eine Augenoperation. Babys aber waren von ihrer Überempfindlichkeit ausgenommen. Sie hatte Kinder gern, hatte sich gelegentlich auch schon um die kleinen Jungen ihrer Kusine gekümmert und durchaus Gefallen an ihrer Aufgabe gefunden. Es würde ihr sicherlich gefallen, von Edward schwanger zu sein, und zumindest theoretisch hatte sie auch keine Angst vor der Geburt. Wenn sie doch bloß wie die Jungfrau Maria durch ein Wunder in diesen anschwellenden Leibeszustand versetzt werden könnte.

Florence vermutete, daß mit ihr irgend etwas grundsätzlich nicht stimmte, daß sie schon immer anders gewesen war und daß diese Andersartigkeit nun zutage trat. Ihr Problem war größer, sinnierte sie, es reichte tiefer als unmittelbarer, physischer Ekel; ihr ganzes Sein rebellierte bei dem Gedanken an nackte Haut und körperliche Liebe; es war ein Angriff auf ihre Person, ihren innersten Seelenfrieden. Sie wollte einfach nicht, daß in sie »eingedrungen«, daß sie »penetriert« wurde. Sex mit Edward konnte nicht der Gipfel ihrer Freuden, sondern nur der Preis sein, den sie zahlen mußte.

Sie hätte längst mit ihm reden müssen, das wußte sie, schon als er ihr den Antrag machte und noch vor dem Besuch beim freundlichen Pfarrer mit der sanften Stimme und vor den Essen bei ihren jeweiligen Eltern, auch lang ehe die Hochzeitsgäste eingeladen, die Geschenklisten zusammengestellt und bei einem Warenhaus hinterlegt, das große Zelt sowie der Fotograf bestellt und all die übrigen nicht mehr rückgängig zu machenden Vorkehrungen getroffen worden waren. Aber was hätte sie schon sagen, welche Worte wählen können, da sie sich das Problem doch nicht einmal selbst zu erklären wußte? Außerdem liebte sie Edward, zwar nicht mit jener heißen, schwülen Leidenschaft, von der sie gelesen hatte, doch tief und innig, manchmal wie eine Tochter, dann wieder fast mütterlich. Sie hielt ihn gern umschlungen, und es gefiel ihr, seine kräftigen Arme um ihre Schultern zu spüren und von ihm geküßt zu werden, auch wenn sie seine Zunge in ihrem Mund nicht mochte, was sie ihm übrigens wortlos zu verstehen gegeben hatte. Sie fand, er war einzigartig, anders als alle Männer, die sie kannte. Für den Fall, daß er in einem Wartezimmer sitzen oder in einer Schlange anstehen mußte, hatte er in seiner Jackentasche stets ein Taschenbuch dabei, meist eines über Geschichte. Was er las, unterstrich er mit einem Bleistiftstummel. Er war fast der einzige Mann aus ihrer Bekanntschaft, der nicht rauchte. Nie paßten seine Socken zusammen. Und er besaß nur einen einzigen Schlips, schmal, gestrickt, dunkelblau, den er nur umtat, wenn er ein weißes Hemd anhatte. Sie mochte seinen wachen Verstand, seine Zuvorkommenheit, den leicht ländlichen Akzent sowie seinen kräftigen Händedruck, und sie mochte es, wenn er im Gespräch abschweifte und sie auf verblüffende Umwege lockte. Wenn sie redete und er sie dabei mit seinen sanften braunen Augen ansah, fühlte sie sich wie in einer lichten Wolke der Liebe geborgen. Folglich zweifelte sie im Alter von zweiundzwanzig Jahren auch nicht daran, daß sie den Rest ihres Lebens mit Edward Mayhew verbringen würde. Wie hätte sie es da riskieren können, ihn zu verlieren?

Es gab niemanden, mit dem sie reden konnte. Ruth, ihre Schwester, war zu jung und ihre zweifellos wundervolle Mutter viel zu intellektuell, zu spröde, ein altmodischer Blaustrumpf. Wenn Violet mit einem intimen Problem konfrontiert wurde, flüchtete sie sich in ihre Dozentenrolle, gebrauchte zunehmend längere Worte und verwies auf Bücher, die man ihrer Meinung nach gelesen haben sollte. Erst wenn sie die knifflige Angelegenheit damit für geregelt hielt, gestattete sie sich bisweilen ein freundliches Wort, wenn auch selten, und meist war man hinterher auch nicht klüger als vorher. Bei ihren Freundinnen im Musikkolleg und an der Universität stellte sich Florence das gegenteilige Problem: Sie liebten es, sich endlos über Intimes auszulassen, und schwelgten in ihren Schwierigkeiten. Außerdem kannten sie sich viel zu gut und bombardierten einander geradezu mit Anrufen und Briefen. Doch auch wenn sie ihren Freundinnen kein Geheimnis anvertrauen konnte, machte sie ihnen das nicht zum Vorwurf, sie gehörte ja selbst zur Clique und hätte sich selbst auch nichts anvertraut. Sie war allein mit einem Problem, für das sie keine Lösung kannte, doch vielleicht half ihr das Handbuch weiter. Dessen grellroter Einband zeigte ein lächelndes, Händchen haltendes Strichmännchenpaar mit kugelrunden Augen, eine weiße Kreidezeichnung, so naiv gemalt wie von einem unschuldigen Kind.

Sie hatten die Melone in kaum zwei Minuten verzehrt, während die Burschen, statt auf dem Korridor zu warten, sich im Hintergrund hielten und an ihren Fliegen, an den engen Kragen oder den Manschetten zupften. Ihre Mienen blieben ausdruckslos und änderten sich auch nicht, als Edward seiner Braut mit galanter Geste die kandierte Kirsche darbot. Verspielt saugte sie ihm die Frucht von den Fingern, biß zu und hielt dabei seinen Blick gefangen, ließ ihn sogar ihre Zunge sehen, obwohl sie Angst davor hatte, wie es weitergehen sollte, wenn sie auf diese Weise mit ihm flirtete. Sie durfte nichts anfangen, was sie nicht auch zu Ende bringen konnte, doch wollte sie, so gut sie konnte, ihr Bestes geben: Sie fühlte sich dann nicht ganz so nutzlos. Wenn es doch genügen würde, eine klebrige Kirsche zu essen.

Um zu beweisen, daß ihn die Gegenwart der Kellner nicht störte – obwohl er sich wünschte, sie würden endlich verschwinden – lächelte Edward, während er sich mit seinem Glas Wein zurücklehnte und ihnen über die Schulter zurief: »Gibt's noch mehr von den Dingern?«

»Keine mehr, Sir. Bedaure.«

Die Hand aber, mit der Edward das Weinglas hielt, zitterte, während er sein plötzliches Hochgefühl, seine überschäumende Freude zu bändigen versuchte. In seinen Augen glühte Florence nahezu, sie war einfach wunderbar – schön, sinnlich, begabt und über die Maßen attraktiv.

Der Junge, der ihm geantwortet hatte, stürzte vor und räumte den Tisch ab. Sein Kollege ging auf den Korridor, um den zweiten Gang, das Rindfleisch, auf ihren Tellern anzurichten. Den Servierwagen in die Hochzeitssuite zu fahren und das Essen dort mit dem Silberbesteck vorzulegen war unmöglich wegen der zwei Stufen zwischen Zimmer und Flur, die sich einer Fehlplanung aus jenen Tagen verdankten, als das elisabethanische Landhaus Mitte des achtzehnten Jahrhunderts dem georgianischen Zeitgeschmack angepaßt worden war.

Das Paar hörte Löffel über Platten schaben und die beiden Jungen an der offenen Tür murmeln, war aber für einen kurzen Moment allein. Edward legte seine Hand auf die von Florence und flüsterte ihr zum hundertsten Mal an diesem Tag zu: »Ich liebe dich«, woraufhin sie ihm augenblicklich von ganzem Herzen und aus tiefer Überzeugung dasselbe versicherte.

Edward hatte sein Geschichtsstudium am University College in London mit »sehr gut« abgeschlossen und in drei kurzen Jahren Kriege studiert, Rebellionen, Seuchen und Hungersnöte, den Aufstieg und Fall von Weltmächten, Revolutionen, die ihre Kinder fraßen, das Elend der Landarbeiter, die Verarmung der Fabrikarbeiter und die Grausamkeit der herrschenden Klasse – ein farbenfrohes Historienspiel über Unterdrückung, Leid und enttäuschte Hoffnungen. Er wußte, wie beengt und kärglich das Leben Generation um Generation verlaufen konnte. Von seiner höheren Warte aus gesehen, schienen friedliche Zeiten des Wohlstandes in England eher selten gewesen zu sein, und vor diesem Hintergrund bedeutete ihrer beider Glück etwas Außergewöhnliches, wenn nicht gar Einzigartiges. Im letzten Studienjahr konzentrierte er sich auf die Theorie der großen Persönlichkeiten in der Geschichte – war es wirklich eine überholte Vorstellung, daß tatkräftige Individuen das Schicksal ihrer Nation prägen konnten? Der Dozent hegte daran keinen Zweifel: Seiner Ansicht nach trieb die Geschichte, nüchtern betrachtet, von unwiderstehlichen Kräften bestimmt einem unausweichlichen, notwendigen Ende zu und würde daher gewiß schon bald zu den Naturwissenschaften gerechnet werden können. Die Lebensläufe, die Edward im besonderen studierte – Cäsar, Karl der Große, Friedrich der Große, Katharina die Große, Nelson und Napoleon (Stalin hatte er auf Drängen seines Dozenten fallenlassen) –, schienen ihm jedoch eher das Gegenteil nahezulegen. Ein rücksichtsloser Charakter, blanker Opportunismus und ein Quentchen Glück konnten das Schicksal von Millionen ändern, eine eigensinnige Schlußfolgerung, die Edward eine »zwei minus« eintrug und beinahe seinen Einser-Abschluß gefährdet hätte.

Fast nebenbei entdeckte er, daß selbst legendärer Erfolg nur selten Glück, wohl aber wachsende Ruhelosigkeit und quälenden Ehrgeiz mit sich brachte. Am Morgen, beim Ankleiden zur Hochzeit (Frack, Zylinder, dazu ein ordentlicher Schuß Eau de Cologne), war er der festen Überzeugung gewesen, daß keine der Berühmtheiten auf seiner Liste solche Zufriedenheit gekannt haben konnte. Allein seine Hochstimmung war schon etwas Großartiges. Da stand er, ein herrlich wunschloser oder doch fast wunschlos glücklicher Mann. Bereits im Alter von zweiundzwanzig Jahren hatte er sie alle übertrumpft.

Er betrachtete jetzt seine Frau, ihre fein gesprenkelten, haselnußbraunen Augen und deren zartes, milchigblau schimmerndes Weiß. Die Wimpern waren lang und dunkel wie die eines kleinen Mädchens, und auch der würdevolle Ernst ihres Gesichtes strahlte etwas Kindliches aus. Es war ein hübsches, markantes Gesicht, das in bestimmtem Licht an eine Indianerin erinnerte, an eine edle Squaw. Florence hatte ein ausgeprägtes Kinn, und ihr offenes, natürliches Lächeln strahlte bis in die Augenwinkel. Zudem war sie kräftig gebaut – während der Hochzeitsfeier hatten einige Matronen vielsagend von einem gebärfreudigen Becken gesprochen –, und ihre Brüste, die Edward berührt und sogar schon geküßt hatte, wenn auch nicht annähernd oft genug, waren klein. Ihre Violinistenhände waren sehnig und blaß, ebenso die langen Arme; beim Schulsport hatte sie als gute Speerwerferin gegolten.

Für klassische Musik hatte Edward noch nie viel übrig gehabt, doch lernte er jetzt deren so fröhlich klingende Sprache kennen – *legato, pizzicato, con brio.* Allmählich und allein durch stupide Wiederholung prägten sich ihm bestimmte Stücke ein, und er begann sogar, sie zu mögen; eines, das Florence oft mit ihren Freunden spielte, ging ihm ganz besonders nah. Wenn sie daheim Läufe und Arpeggios übte, trug sie ein Stirnband, ein reizender Anblick, der ihn von der Tochter träumen ließ, die sie eines Tages vielleicht einmal haben würden. Das Spiel von Florence war geschmeidig, präzise und für seinen satten Ton bekannt. Ein Lehrer versicherte ihr, er habe noch nie zuvor eine Studentin gehabt, die eine Leersaite so warm anklingen lassen konnte. Ob sie vor ihrem Notenständer im Londoner Probenraum oder im Schlafzimmer daheim in Oxford stand und Edward sich auf dem Bett rekelte, sie beobachtete und begehrte – immer hielt sie voller Anmut den Rücken gerade und den Kopf stolz gereckt, während sie die Noten mit herrischer, ihn immer wieder erregender, fast arroganter Miene ablas. Ihr Gesicht strahlte eine solche Gewißheit aus, auf dem Weg zu höchster Erfüllung.

Wenn es um Musik ging, waren ihre Bewegungen fließend und bestimmt, sei es, daß sie den Geigenbogen kolophonierte, das Instrument neu bespannte oder das Zimmer umräumte, damit Platz für die drei Freunde vom College war – denn dem

Streichquartett galt ihre ganze Leidenschaft. Dort gab sie unangefochten den Ton an und behielt auch in musikalischen Fragen stets das letzte Wort. Im sonstigen Leben wirkte sie hingegen überraschend ungelenk und unsicher, verstauchte sich bald einen Zeh, stieß etwas um oder schlug irgendwo mit dem Kopf an. Ihre Finger, denen in Bach-Partiten ohne weiteres Doppelgriffe gelangen, waren ebenso begabt darin, eine Tasse Tee auf dem Leinentischtuch umzukippen oder ein Glas auf die Fliesen fallen zu lassen. Wenn sie sich beobachtet glaubte, stolperte sie über ihre eigenen Füße – Edward gestand sie, welche Qual es für sie sei, einer Freundin auf offener Straße aus einiger Entfernung entgegenzugehen. Und wann immer sie besorgt oder schüchtern war, strich sie sich unwillkürlich eine unsichtbare Strähne aus der Stirn, eine fahrige, flatterige Geste, die sie auch dann noch wiederholte, wenn die Aufregung längst vorüber war.

Wie hätte er sie nicht lieben können mit all ihren rührenden Eigenheiten, ihrer außerordentlichen Ehrlichkeit und Offenheit, sie, deren Gedanken und Gefühle so unmittelbar in ihr Mienenspiel und ihre Gestik einflossen wie ein Strom elektrisch geladener Teilchen? Selbst wenn sie nicht von derart schöner, kräftiger Statur gewesen wäre, wäre er ihrem Zauber erlegen. Doch mit welcher Intensität liebte sie ihn erst, welch quälende, körperliche Zurückhaltung legte sie sich auf. Nicht bloß sein Verlangen wurde dadurch noch gesteigert, daß es nicht ausgelebt wurde, sie weckte auch seinen Beschützerinstinkt. Aber war sie wirklich so wehrlos? Einmal hatte er einen Blick in ihr Schulzeugnis geworfen und das Resultat des Intelligenztestes gesehen: einhundertzweiundfünfzig, siebzehn Punkte über seinem eigenen Ergebnis. Und in jenen Tagen hielt man diese Werte noch für ebenso aussagekräftig wie Gewicht oder Körpergröße. Wenn er dem Quartett beim Proben zuhörte und sie hinsichtlich Phrasierung, Tempo oder Dynamik eine andere Meinung hatte als Charles, der pausbäckige, schnöselige Cellist, dessen Gesicht vor Akne glänzte, faszinierte Edward, wie bestimmt Florence auftreten konnte. Sie ließ sich auf keine Diskussionen ein, hörte nur ruhig zu und gab anschließend ihre Entscheidung bekannt. Nichts erinnerte dann an die fahrige Geste, mit der sie sich jene unsichtbare Strähne aus der Stirn strich. Sie beherrschte ihr Metier, und sie war fest entschlossen, das Quartett zu leiten, wie es einer Ersten Geigerin zustand. Selbst ihren furchterregenden Vater schien sie herumdirigieren zu können. Viele Monate vor der Hochzeit hatte er Edward auf ihren Wunsch hin eine Stelle angeboten. Ob Edward sie wirklich wollte oder es wagen könnte, sie abzulehnen, stand nicht zur Debatte. Außerdem wußte sie dank ihrer weiblichen Intuition genau, was für das Hochzeitsfest gebraucht wurde, kannte die nötige Zeltgröße ebenso wie die erforderliche Puddingmenge oder die Summe, die man vernünftigerweise als Zuschuß von ihrem Vater erwarten durfte.

»Das Essen kommt«, flüsterte sie und drückte kurz seine Hand, um ihn von weiteren Intimitäten abzuhalten. Die Kellner trugen das Rindfleisch auf, für ihn eine doppelte Portion. Außerdem wurden auf der Anrichte Sherrybiskuit, Cheddarkäse und einige Täfelchen Pfefferminzschokolade bereitgestellt. Nach einem gemurmelten Hinweis auf den Klingelknopf am Kamin – fest pressen und eine Weile gedrückt halten – zogen sich die Burschen zurück und schlossen behutsam die Tür hinter sich. Der Servierwagen klirrte, während er über den Korridor davonrollte, darauf hörten sie nach kurzer Stille noch ein lautes Johlen, vielleicht auch einen Freudenschrei, der aus der Hotelbar zu ihnen heraufdrang, dann aber waren die Frischvermählten endlich allein.

Wie in weiter Ferne zersplitterndes Glas hörte es sich an, als der Wind, der offenbar die Richtung wechselte oder kräftiger wurde, ihnen das Rauschen kleinerer, sich rascher brechender Wellen zutrug.

Der Dunstschleier löste sich auf und ließ die Konturen der niedrigen Hügel erahnen, die gen Osten das Ufer säumten. Sie konnten ein weiches, graues Leuchten ausmachen, die seidige Oberfläche des Meeres oder der Bucht, vielleicht auch den Himmel, das ließ sich nicht sagen. Durch die spaltbreit geöffnete Balkontür trug eine kräftige Bö einen verlockenden Geruch nach Salz ins Zimmer, nach frischer Luft und offener See, was so gar nicht zu dem steifen Tischtuch passen wollte, zur mehlschwitzigen Soße und dem schweren, polierten Silberbesteck in ihren Händen. Das Hochzeitsessen am Mittag war überreichlich gewesen, sie hatten keinen Hunger. Theoretisch konnten sie die Teller einfach stehenlassen, sich die Weinflasche schnappen, zum Strand laufen, die Schuhe abstreifen und ihre Freiheit genießen. Niemand im Hotel hätte sie aufgehalten. Sie waren schließlich erwachsen, im Urlaub, sie konnten jeder Lust und Laune frönen. Und in nur wenigen Jahren wäre es genau das, was ganz gewöhnliche junge Leute tun würden, doch Edward und Florence waren Gefangene ihrer Zeit. Selbst unter vier Augen galten tausend unausgesprochene Regeln. Und gerade weil sie nun erwachsen waren, taten sie nichts so Kindisches wie von einem Mahl aufzustehen, das man mit viel Mühe eigens für sie angerichtet hatte. Schließlich war Abendessenszeit.

Und sich kindisch zu benehmen war noch nicht erstrebenswert oder gar in Mode.

Trotzdem lockte Edward der Strand, und hätte er gewußt, wie sich ein entsprechender Vorschlag rechtfertigen ließe, hätte er Florence vielleicht gebeten, mit ihm nach draußen zu laufen. Er hatte Florence zuvor aus einem Reiseführer vorgelesen, daß die Kiesel am achtzehn Meilen langen Strand durch heftige Stürme im Lauf von Jahrtausenden sortiert worden waren und die größeren am östlichen Ende lagen. Einer Sage zufolge konnten die Fischer, die nachts an Land kamen, allein an der Größe der Kiesel erkennen, wo sie sich befanden. Florence hatte vorgeschlagen, dies zu überprüfen, indem sie in einer Meile Abstand Steine sammelten und miteinander verglichen. Ein Spaziergang am Meer wäre jedenfalls besser, als hier herumzusitzen. Die ohnedies niedrige Decke schien noch tiefer herabzusinken und immer näher zu rücken. Und von Edwards Teller stieg ein durchdringender Geruch wie Hundeatem auf, der sich mit der Meeresbrise mischte. Vielleicht war er ja doch nicht so überglücklich, wie er es sich einredete, denn auf seinen Gedanken lastete ein schrecklicher Druck, der das Reden erschwerte. Außerdem machte ihm ein intensives körperliches Unbehagen zu schaffen – seine Hose, seine Unterwäsche fühlte sich wie eingelaufen an.

Doch falls ein dienstbarer Geist an ihrem Tisch aufgetaucht wäre, um Edward seinen größten Wunsch zu erfüllen, hätte er trotzdem nicht nach irgendeinem Strand dieser Welt verlangt. Was er sich wünschte, wonach er sich sehnte, war, mit Florence nebenan nackt auf dem Bett zu liegen und endlich jene fabelhafte Erfahrung zu machen, die ihm so entrückt schien wie eine Vision in religiöser Ekstase oder gar der Tod. Die Vorstellung – würde es tatsächlich geschehen? Ihm? – griff erneut mit kalten Fingern nach ihm, und es war, als wollten ihm die Sinne schwinden, was er mit einem zufriedenen Seufzer überspielte.

Wie die meisten jungen Männer seiner Zeit – aber auch aller anderen Zeiten, denen es an Toleranz oder sexueller Freizügigkeit mangelte – gab er sich immer wieder dem hin, was von fortschrittlicher Seite als »Selbstverwöhnung« bezeichnet worden war. Edward hatte sich gefreut, als er auf diesen Ausdruck stieß. Er war 1940 geboren, also zu spät in diesem Jahrhundert, um noch zu glauben, daß er seinen Körper mißbrauchte, seine Augen darunter litten oder Gott ihm mit strengem, ungläubigem Blick zuschaute, wenn er sich täglich ans Werk machte. Oder daß ihm alle Welt sein Treiben am blassen, in sich gekehrten Aussehen anmerkte. Dennoch empfand er bei seinen Bemühungen ein deutliches Gefühl von unbestimmter Schmach, von Versagen, Vergeudung und natürlich von Einsamkeit. Die Befriedigung war dabei eher ein Nebeneffekt. Das Ziel war Entspannung – von einem drängenden, die Gedanken lähmenden Verlangen nach dem, was anders nicht zu bekommen war. Wie verblüffend schien es doch, daß eine selbstproduzierte, aus ihm hervorspritzende, löffelgroße Menge Flüssigkeit augenblicklich den Kopf frei machte, so daß er sich erfrischt wieder Nelsons entschlossenem Vorgehen in der Bucht von Aboukir zuwenden konnte.

Edwards einziger bedeutsamer Beitrag zu den Hochzeitsvorbereitungen hatte darin bestanden, sich eine Woche lang Enthaltsamkeit aufzuerlegen. Seit seinem zwölften Lebensjahr war er nicht mehr so keusch gewesen. Er wollte für seine Braut in Hochform sein. Und es war ihm nicht leichtgefallen, vor allem nachts im Bett nicht oder morgens, wenn er aufwachte, an den langen Nachmittagen oder in den Stunden vor dem Mittagessen, nach dem Abendessen oder in der Zeit vorm Schlafengehen. Nun endlich war es soweit, sie waren verheiratet und allein. Warum schob er nicht den Teller mit Rindfleisch beiseite, bedeckte seine Frau mit Küssen und führte sie hinüber zum Himmelbett? Leider war es nicht so einfach. Der Unnahbarkeit von Florence ging bereits eine lange Geschichte voraus, und er hatte gelernt, ihre Zurückhaltung zu respektieren, ja, er hatte sie schätzen gelernt, da er sie fälschlich für Schüchternheit hielt, für einen konventionellen Schleier, hinter dem sich ihr Verlangen verbarg und der sie nur noch interessanter, noch attraktiver machte. Zumindest redete er sich das ein. Auch wenn er sich dessen nicht bewußt war, paßte ihre Befangenheit zu seiner Ahnungslosigkeit, seinem mangelndem Selbstvertrauen; eine sinnlichere, forderndere Frau, eine *femme fatale,* hätte ihm vermutlich angst gemacht.

Sie hatten einander umworben wie bei einer Pavane, einem höfischen Schreittanz, von Regeln geleitet, die nicht ausgesprochen, nicht verhandelt, aber allgemein eingehalten wurden. Noch nie hatten sie über etwas Intimes geredet, und sie vermißten es auch nicht. Derartiges entzog sich allen Worten und jeglicher Definition. Therapeutengespräche waren noch nicht in Mode, die Währung eifrig ausgetauschter und gegenseitig analysierter Gefühle noch nicht im Umlauf. Zwar hatte man schon von wohlhabenden Menschen gehört, die sich einer Psychoanalyse unterzogen, doch war es noch nicht üblich, sich im alltäglichen Sprachgebrauch als ein Rätsel, als eine Fallstudie oder ein Problem zu begreifen, das nur darauf wartete, gelöst zu werden.

Nichts, was sich zwischen Edward und Florence

anbahnte, geschah schnell. Wichtige Fortschritte, wortlos erteilte Zugeständnisse, die ihm erlaubten, über das hinauszugehen, was er bereits sehen oder berühren durfte, wurden nur nach und nach erzielt. Der Tag im Oktober, an dem er zum ersten Mal ihre nackten Brüste sah, lag lang vor jenem Tag, an dem er sie berühren durfte – der neunzehnte Dezember. Er küßte sie im Februar, allerdings nicht die Brustwarzen, die er erst im Mai kurz mit den Lippen streifte. Sie selbst ließ sich die Zeit, auf seinem Körper noch langsamer vorzurücken. Ein plötzliches Vorpreschen seinerseits konnte Monate eifriger Bemühungen zunichte machen. Der Abend im Kino, als *Bitterer Honig* lief und er ihre Hand nahm, um sie zwischen seine Beine zu legen, warf ihn um Wochen zurück. Sie reagierte nicht eisig, auch nicht kühl, wirkte aber irgendwie reserviert, fast enttäuscht und fühlte sich womöglich gar ein wenig betrogen. Kaum merklich zog sie sich von ihm zurück, ohne ihn je an ihrer Liebe zweifeln zu lassen. Dann aber befanden sie sich endlich wieder auf Kurs: Als sie an einem Samstag nachmittag Ende März allein waren und der Regen heftig an die Scheiben des unaufgeräumten Wohnzimmers im winzigen Haus von Edwards Eltern in den Chiltern Hills prasselte, ließ sie ihre Hand kurz auf – oder doch neben – seinem Penis ruhen. Mit wachsender

Hoffnung und zunehmender Ekstase spürte er sie kaum fünfzehn Sekunden lang durch zwei Lagen Stoff hindurch. Und sobald Florence die Hand wieder fortnahm, wußte er, daß er nicht länger warten konnte. Er bat Florence, ihn zu heiraten.

Er ahnte nicht, welche Überwindung es Florence kostete, ihre Hand – vielmehr ihren Handrücken – dorthin zu legen. Sie liebte ihn, sie wollte ihm eine Freude bereiten, mußte dafür aber großen Ekel überwinden. Ihr Versuch war aufrichtig gemeint, denn trotz aller Klugheit war ihr Arglist völlig fremd. Sie ließ die Hand so lang liegen, wie sie konnte, spürte aber bald, daß sich unter dem grauen Flanell seiner Hose etwas regte, versteifte. Es war wie ein lebendes Ding, etwas, das ihr ganz unabhängig von ihrem Edward zu sein schien – und sie schreckte zurück. Dann platzte er mit seinem Antrag heraus, und im Ansturm der Gefühle, vor lauter Glück, Übermut und Erleichterung, vergaß sie in all den plötzlichen Umarmungen ihren kleinen Schock. Er selbst aber war über seine Entschlossenheit so erstaunt, sein Denken von unbefriedigtem Verlangen so gelähmt, daß er nicht einmal ahnte, mit welchem Widerspruch sie von diesem Tag an kämpfte, in welchem Widerstreit sie lag zwischen Ekel und uneingestandenem Verlangen.

Sie waren also allein und konnten theoretisch tun, was immer sie wollten, doch blieben sie weiter vor ihrem Abendessen sitzen, auf das sie keinen Appetit hatten. Florence legte das Messer beiseite und griff nach Edwards Hand. Von unten dröhnte der Rundfunkempfänger herauf, und sie hörten das Glockengeläut von Big Ben, dann den Beginn der Zehn-Uhr-Nachrichten. Wegen der landeinwärts gelegenen Hügel war der Empfang an der Küste nicht besonders gut. Die älteren Gäste saßen jetzt sicher unten im Aufenthaltsraum und genehmigten sich zum Bericht über das Weltgeschehen einen Schlummertrunk – das Hotel bot eine reiche Auswahl guter Malzwhiskys an –, während einige Männer sich die letzte Pfeife des Tages stopften. Die Angewohnheit, sich zu den Abendnachrichten um den Radioapparat zu versammeln, stammte noch aus dem Krieg, doch würden sie diese Gepflogenheit wohl niemals mehr aufgeben. Edward und Florence konnten gedämpft die Themen des Tages hören, den Namen des Premierministers und ein, zwei Minuten später seine vertraute Stimme, die lautstark zu einer Rede ansetzte. Harold Macmillan hatte sich auf einer Konferenz in Washington gegen den Rüstungswettlauf und für ein Teststopabkommen eingesetzt. Wer fände es nicht irrsinnig, immer weitere Wasserstoffbomben in der Atmosphäre zu zünden und den ganzen Planeten zu verstrahlen? Dennoch glaubte niemand unter dreißig – Edward und Florence ganz bestimmt nicht –, daß ein britischer Premierminister im Weltgeschehen noch viel zu sagen hatte. Jährlich schrumpfte das Empire stärker zusammen, wurden weitere Länder in die ihnen zustehende Unabhängigkeit entlassen. Mittlerweile war vom einstigen Imperium kaum mehr etwas übrig; die Welt gehörte den Amerikanern und Russen. Großbritannien – beziehungsweise England – war nur noch eine unbedeutende Staatsmacht; allein dies zu sagen bereitete ein gewisses blasphemisches Vergnügen. Dort unten war man natürlich anderer Ansicht. Jeder über vierzig hatte im Krieg gekämpft und gelitten, hatte den Tod vieler Menschen erlebt und würde daher einfach nicht glauben wollen, daß all die Opfer mit einem Absinken in die Bedeutungslosigkeit belohnt wurden.

Bei der nächsten Wahl waren Edward und Florence zum ersten Mal stimmberechtigt, und sie begeisterten sich für die Idee, Labour könnte einen ebenso großen, erdrutschartigen Sieg wie 1945 erringen. Die ältere Generation, die immer noch vom Empire träumte, würde in ein, zwei Jahren bestimmt Politikern wie Gaitskell, Wilson und Crosland weichen müssen, neuen Männern mit Visionen von einem modernen Land, in dem Gleichheit herrschte und die Ärmel aufgekrempelt wurden. Wenn Amerika einen gutaussehenden, mitreißenden Präsidenten wie Kennedy haben konnte, warum sollte es so jemand nicht auch in Großbritannien geben? Es würde schon genügen, wenn derjenige einem Kennedy wenigstens dem Temperament nach gleichkam, denn soviel Ausstrahlung wie er hatte niemand in der Labour-Partei. Die Ewiggestrigen, die in Gedanken noch im letzten Weltkrieg kämpften und sich Disziplin und Entbehrung auf die Fahnen schrieben – deren Zeit war abgelaufen. Die Hoffnung, daß sich alles schon bald zum Besseren wenden und jugendlicher Eifer wie Dampf unter Druck nach einem Ventil suchen würde, verband sich für Florence und Edward mit der Begeisterung für ihr eigenes, gemeinsames Abenteuer. Die Sechziger waren das erste Jahrzehnt ihres erwachsenen Lebens, und das gehörte ganz allein ihnen. Die Pfeifenraucher da unten mit ihren silbernen Blazerknöpfen, ihren doppelten Caol-Ila-Whiskys, den Erinnerungen an die Feldzüge in Nordafrika und in der Normandie und ihren Soldatensprüchen, die konnten keinen Anspruch mehr auf die Zukunft erheben. Platz da, die Herren!

Aus dem sich lichtenden Nebel tauchten Bäume auf, grüne, kahle Klippen hinter der Lagune und das silbrige Meer; weiche Abendluft umwehte ihren Tisch, und sie taten immer noch, als wollten sie essen, jeder gelähmt von seinen ureigenen Ängsten. Florence schob die Bissen auf ihrem Teller hin und her. Edward aß, um den Schein zu wahren, nur kleine Kartoffelkrumen, die er sich mit der Gabelkante abteilte. Hilflos hörten sie dem zweiten Nachrichtenthema zu und wußten, wie kläglich es doch war, daß sich ihre Aufmerksamkeit wie jene der Gäste unten auf die Neuigkeiten richtete. Es war ihre Hochzeitsnacht, aber sie hatten sich nichts zu sagen. Durch den Boden unter ihren Füßen drang das Wort »Berlin«, und sie wußten, daß es um die Geschichte ging, die seit kurzem alle Welt faszinierte: eine Flucht aus dem kommunistischen Osten in den Westteil der Stadt mit einem gekaperten Ausflugsdampfer quer über den Wannsee; die Flüchtlinge hatten sich im Steuerhaus verkrochen, um den Kugeln der ostdeutschen Grenzpolizei zu entgehen. Florence und Edward hörten zu und lauschten dann, so unerträglich sie es auch fanden, noch der dritten Meldung über den Abschluß einer islamischen Konferenz in Bagdad.

Durch eigene Dummheit im Bann des Weltgeschehens! So konnte es nicht weitergehen. Zeit zu handeln. Edward lockerte seinen Schlips und legte Messer und Gabel mit Nachdruck nebeneinander auf den Teller.

»Wir könnten nach unten gehen, da hören wir besser.«

Es sollte humorvoll klingen, da er seinen Sarkasmus gegen sie beide richtete, aber die Worte brachen überraschend heftig aus ihm heraus, und Florence errötete. Sie faßte es als Kritik auf, daß sie sich allem Anschein nach stärker für die Nachrichten als für ihren Mann interessierte, und ehe er seine Bemerkung abschwächen oder irgendwie überspielen konnte, warf sie hastig ein: »Wir könnten uns auch aufs Bett legen«, um sich dann nervös eine unsichtbare Strähne aus der Stirn zu streichen. Weil sie ihm zeigen wollte, wie sehr er sich irrte, schlug sie das vor, was er sich am meisten wünschte und wovor sie sich fürchtete. Gewiß wäre sie glücklicher oder zumindest doch nicht ganz so unglücklich gewesen, wenn sie jetzt nach unten in die Hotelhalle gehen könnte, um sich in aller Ruhe mit den übrigen Frauen auf dem blümchengemusterten Sofa zu unterhalten, während sich die Männer mit ernsten Mienen den Nachrichten zuwandten, dem Ansturm der Geschichte. Alles wäre ihr lieber.

Ihr Ehemann lächelte, stand auf und reichte ihr feierlich über den Tisch hinweg die Hand. Er war ein bißchen rosig im Gesicht. Sekundenlang blieb die Serviette an seinem Schoß haften, hing dort albern wie ein Lendentuch und trudelte dann langsam zu Boden. Wollte Florence keine Ohnmacht vortäuschen, blieb ihr keine andere Wahl, als aufzustehen, und sie war ein hoffnungsloser Fall, wenn es ums Schauspielen ging. Also erhob sie sich, griff nach seiner Hand und war überzeugt, ihr Lächeln würde starr und wenig glaubhaft wirken. Es hätte ihr auch nicht geholfen, wenn sie gewußt hätte, daß Edward sie in seiner traumähnlichen Entrückung bezaubernder fand denn je. Wegen ihrer Arme, erinnerte er sich später, so schlank, so zart, die sich bald sehnsüchtig um seinen Hals schlingen würden, ihrer schönen, hellbraunen, vor Leidenschaft schimmernden Augen und ihrer sanft zitternden Unterlippe, über die sie eben jetzt mit ihrer Zunge fuhr.

Mit der freien Hand wollte er die Weinflasche und die halbvollen Gläser fassen, doch hatte er sich zu viel vorgenommen, die Gläser klirrten aneinander, die Stiele kreuzten sich, Wein schwappte über. Also griff er sich nur den Flaschenhals. Selbst in seiner aufgewühlten, übernervösen Verfassung meinte er, die Zurückhaltung seiner Frau verstehen zu können. Und um so glücklicher machte es ihn, daß sie sich diesem wichtigen Ereignis gemeinsam näherten, dieser Schwelle zu einer neuen Erfahrung. Schließlich blieb es ebenso erregend wie wahr, daß der Vorschlag, sich aufs Bett zu legen, von ihr gekommen war. Die Heirat hatte Florence befreit. Ohne ihre Hand loszulassen, ging er um den Tisch herum und zog seine Frau an sich, um sie zu küssen. Da er es aber ungehörig fand, dabei eine Flasche in der Hand zu halten, stellte er den Wein wieder ab.

»Du bist so wunderschön«, flüsterte er.

Sie rief sich in Erinnerung, wie sehr sie diesen Mann liebte. Er war gütig, feinfühlig, er erwiderte ihre Liebe und würde ihr nichts antun. Sie schmiegte sich fester in seine Umarmung, preßte sich enger an seine Brust und sog den vertrauten Geruch ein, der so beruhigend nach Wald duftete.

»Ich bin glücklich mit dir.«

»Ich auch«, erwiderte sie leise.

Kaum küßten sie sich, spürte sie seine pralle, harte Zunge, die sich forsch zwischen ihre Zähne schob. In sie eindrang. Ihre eigene Zunge rollte sich zusammen und wich in unwillkürlichem Ekel zurück, machte ihm Platz. Er wußte genau, daß sie solche Küsse nicht mochte, nie zuvor war er so fordernd gewesen. Die Lippen fest auf ihre gepreßt, tastete er sich über den fleischigen Boden ihrer Mundhöhle und fuhr die Zahninnenseite ihres Unterkiefers entlang bis zu jenem Loch, in dem vor drei Jahren noch ein schiefer Weisheitszahn gewachsen war, bis man ihn dann unter Vollnarkose gezogen hatte. Wenn Florence über etwas nachdachte, verirrte sich ihre eigene Zunge oft in diesen Spalt, weshalb er für sie eher eine Idee war als ein konkreter Ort, ein Freiraum für Gedanken statt eine bloße Lücke im Zahnfleisch, und es irritierte sie, daß eine andere Zunge dorthin vordringen konnte. Das steife, spitz zulaufende Ende dieses fremden, lebendig zuckenden Muskels widerte sie an. Edward preßte die linke Hand gleich unterhalb ihres Nakkens gegen das Schulterblatt, wodurch er ihren Kopf an sich drückte. Doch je heftiger Platzangst und Atemnot wurden, desto entschiedener sagte Florence sich, sie dürfe seine Gefühle nicht verletzen. Jetzt war er unter ihrer Zunge, preßte sie ans Gaumendach, dann war er darüber, drückte sie nach unten, gleich darauf umspielte er die Ränder und wanderte rundherum, als schürzte er einen Knoten. Er wollte ihrer Zunge eigene Regungen entlocken, sie zu einem widerlichen stummen Duett verführen, aber Florence trat lieber den Rückzug an, um ihre Kräfte darauf zu konzentrieren, nicht gegen ihn anzukämpfen, nicht zu ersticken, nicht in Panik zu geraten. Wenn sie sich in seinen Mund erbrach – so eine ihrer wahnwitzigen Phantasien –, wäre es aus mit der Ehe, und sie müßte nach Hause zurückfahren und sich ihren Eltern erklären. Dabei wußte sie, daß dieses Gezüngel, dieses Eindringen, bloß ein

Vorgeplänkel war, ein Sinnbild dessen, was noch kommen sollte, wie ein Prolog auf dem Theater, der ankündigte, was einem bevorstand.

Während Florence der Form halber ihre Hände auf Edwards Hüften ruhen ließ und hoffte, dieser Augenblick werde möglichst rasch vorübergehen, dämmerte ihr eine banale Erkenntnis, die plötzlich so elementar und unumstößlich schien wie das *Ius primae noctis* oder irgendwelche Steuerabgaben, zu selbstverständlich, um einer Erklärung zu bedürfen. Eben dies war es, wozu sie ihr Jawort gegeben hatte. Sie hatte sich bereit erklärt, Derartiges zu tun und sich Derartiges antun zu lassen. Nichts anderes hatte sie mit ihrem Namen unterzeichnet, als sie nach der kirchlichen Feier mit Edward und den Eltern in die düstere Sakristei gegangen war, um sich ins Eheregister einzutragen; der Rest, ihre angeblich erworbene Reife, Konfetti und Kuchen, das war nur Beiwerk. Und sie hatte dies allein sich selbst und ihrem Verhalten im letzten Jahr zuzuschreiben, denn hierauf war alles hinausgelaufen; ihre Schuld war es, nur ihre Schuld, und davon wurde ihr jetzt erst richtig übel.

Als er sie stöhnen hörte, wußte Edward, sein Glück war fast vollkommen. Ihn überkam eine herrliche Schwerelosigkeit, so als schwebte er mehrere Zentimeter über dem Boden, ja als ragte er hoch über ihr auf. Es war ein schmerzlich schönes Gefühl, wie ihm das Herz bis in die Kehle pochte. Die leichte Berührung ihrer Hände, unweit von seinem Unterleib, erregte ihn, ihr williger, begehrenswerter Körper, den er in den Armen hielt, ihr leidenschaftliches Schnauben durch die Nase. All das brachte ihn an den Rand einer ungekannten Ekstase, heftig und kalt, unterhalb der Rippen, während ihre Zunge sich sanft um seine schmiegte, als er zu ihr vorstieß. Vielleicht konnte er Florence bald einmal überreden – vielleicht noch heute abend, und vielleicht mußte sie gar nicht überredet werden –, seinen Schwanz mit ihren zarten Lippen zu umschließen. Hastig drängte er den Gedanken beiseite, denn er drohte ernstlich zu früh zu kommen. Er spürte es bereits in sich aufsteigen, fühlte die nahende Schmach. Gerade noch rechtzeitig fielen ihm die Nachrichten ein, und er stellte sich das Gesicht des Premierministers vor: Harold Macmillan, groß, vornübergebeugt, ein richtiges Walroß, ein Kriegsheld, ein alter Haudegen, der alles verkörperte, nur eben keinen Sex, und der daher für seine Zwecke ideal geeignet war. Handelsbilanzdefizit, Lohnpause, Preisbindung. Manch einer schimpfte über ihn, weil er das Empire verloren gab, doch angesichts der Veränderungen, die über Afrika hinwegfegten, blieb ihm im Grunde nichts anderes übrig. Einem Labour-Politiker wäre das niemals verziehen worden, er aber hatte in der Nacht der langen Messer ein Drittel seines Kabinetts entlassen. Dazu brauchte man Mut. Mackie Messer war er in einer Zeitung genannt worden, Macbeth in einer anderen. Brave Bürger beschwerten sich, er begrabe die Nation unter einer Lawine von Fernsehern, Autos und Supermärkten. Er gab den Menschen, wonach sie verlangten. Brot und Spiele, eine neue Nation. Und jetzt wollte er auch noch, daß wir uns Europa anschlossen. Doch wer konnte da schon mit Sicherheit behaupten, daß Macmillan auf dem Holzweg war?

Endlich hatte Edward sich beruhigt. Seine Gedanken verflüchtigten sich, und er wurde aufs neue zu seiner Zunge, ihrer Spitze, im selben Augenblick, als Florence entschied, daß sie es nicht länger ertrug. Sie fühlte sich wie gefesselt und bekam kaum noch Luft, sie war halb erstickt, und ihr war übel. Außerdem hörte sie einen Laut, nicht stufenweise ansteigend, sondern mit einem langsamen Glissando, nicht ganz der Klang einer Geige, auch keine Stimme, eher etwas dazwischen, immer höher, immer durchdringender, doch nie außerhalb des Hörbaren, einen Geigenton, der ihr in drängenden Zischlauten und Vokalen, primitiver als alle Worte, etwas Wichtiges zu verstehen geben wollte. Vielleicht kam er aus dem Zimmer oder vom Korridor, vielleicht war er nur ein Tinnitus in ihrem Kopf, vielleicht erzeugte sie ihn auch selbst. Ihr war es egal, sie mußte jedenfalls hier raus.

Sie warf den Kopf herum und befreite sich aus Edwards Umarmung. Noch während er sie überrascht anschaute, mit offenem Mund und fragendem Blick, faßte sie ihn an der Hand und zog ihn zum Bett. Sie war wie von Sinnen, irrsinnig sogar, denn eigentlich wollte sie nichts lieber, als aus dem Zimmer laufen, durch den Garten, den Weg hinunter zum Strand, um dort allein zu sein. Eine einzige ruhige Minute würde ihr schon helfen. Doch ihr Pflichtgefühl war übermächtig, sie durfte sich ihm nicht widersetzen. Sie ertrüge es nicht, Edward zu enttäuschen. Und sie wäre überzeugt, völlig im Unrecht zu sein. Wäre die gesamte Hochzeitsgesellschaft, Gäste und engste Familie, irgendwie unsichtbar in dieses Zimmer gepfercht und schaute ihr zu, hielten diese Geister ausnahmslos zu Edward und billigten sein drängendes, angemessenes Verlangen. Sie würden glauben, daß irgendwas mit ihr nicht stimmte, und sie hätten recht.

Sie wußte auch, wie erbärmlich sie sich benahm. Um einen gräßlichen Moment zu überstehen, um ihm zu entfliehen, erhöhte sie den Einsatz, setzte auf den nächsten und machte dazu den keineswegs hilfreichen Eindruck, sich danach sogar zu sehnen. Der letzte Akt konnte nicht endlos hinausgezögert werden. Immer näher kam der entscheidende Augenblick, und sie stürzte sich ihm auch noch kopflos entgegen. Sie war in einem Spiel gefangen, dessen Regeln sie nicht durchbrechen konnte. Es gab kein Entrinnen, und deshalb zerrte sie Edward zur offenstehenden Tür, zum Schlafzimmer und zu dem schmalen Himmelbett mit dem glatten weißen Überwurf. Sie hatte keine Ahnung, was sie tun sollte, sobald sie dort ankamen, aber wenigstens war das schreckliche Geräusch verklungen, und in den wenigen Sekunden, die ihr noch blieben, gehörten Mund und Zunge wieder ihr allein, und sie konnte atmen, konnte versuchen, die Fassung wiederzugewinnen.

Zwei

Wie hatten sie sich kennengelernt, und warum war dieses Liebespaar einer modernen Zeit so schüchtern, so unerfahren? Sie hielten sich für viel zu gebildet, um an ein Schicksal zu glauben, und doch konnten sie es nicht fassen, daß eine derart folgenschwere Begegnung zufällig geschehen, von aberhundert kleineren Ereignissen und Entscheidungen abhängig gewesen sein sollte. Was für ein grausamer Gedanke, sie hätten sich womöglich nie getroffen. Im ersten Ansturm ihrer Gefühle malten sie sich oft aus, wie sich ihre Wege bereits in frühester Jugend gekreuzt haben mochten, wenn Edward aus seinem abgeschiedenen, verwahrlosten Elternhaus in den Chiltern Hills gelegentlich nach Oxford gefahren war. Was für eine aufregende Vorstellung, sie wären sich auf einem der bekannten Stadtfeste begegnet, etwa dem Jahrmarkt auf St. Giles Anfang September oder beim Tanz in den Mai – ein lächerlicher, völlig überbewerteter Brauch, da waren sich beide einig –, beim Mieten eines Stechkahns am Cherwell Boat House – auch wenn Edward nur ein einziges Mal dort gewesen war – oder später dann beim heimlichen Biertrinken im *Turl*.

Edward meinte sogar, er sei einmal in einem Bus mit anderen dreizehnjährigen Jungen zur Oxford High-School gebracht und bei einem Quiz zum Thema Allgemeinwissen haushoch geschlagen worden – von Mädchen, die schrecklich ernst und so belesen wie Erwachsene gewesen waren. Vielleicht hatte es sich dabei aber auch um eine andere Schule gehandelt. Florence konnte sich nicht daran erinnern, in der Gegenmannschaft gewesen zu sein, gab aber zu, gern bei solchen Wettbewerben mitgemacht zu haben. Wenn sie ihre geistigen und geographischen Karten von Oxford verglichen, stellten sie erstaunlich große Ähnlichkeiten fest.

Dann waren Kindheit und Schulzeit vorbei, und 1958 entschieden sie sich beide für London – er für das University College, sie für das Royal College of Music –, und da kreuzten sich ihre Wege in der großen Stadt natürlich nicht. Edward wohnte bei einer verwitweten Tante in Camden Town und fuhr jeden Morgen mit dem Rad nach Bloomsbury. Er arbeitete den ganzen Tag, spielte am Wochenende Fußball und trank abends mit Freunden Bier. Bis es ihm peinlich wurde, hatte er auch gegen eine gelegentliche Schlägerei vor den Pubs nichts einzuwenden gehabt. Musik war für ihn die einzig ernstzunehmende, nicht körperliche Freizeitbeschäftigung, jener pulsierende, elektrische Blues, der zum

wahren Vorläufer und eigentlichen Motor des englischen Rock 'n' Roll wurde – sein Lebtag lang war
Edward davon überzeugt, daß diese Musik dem
schmalzigen Drei-Minuten-Geträller aus Liver-
pool, das in wenigen Jahren die Welt erobern sollte,
weit überlegen war. Oft kam er abends aus der Bibliothek und ging über die Oxford Street zum Hundred Club, um John Mayalls Powerhouse Four zu
hören, Alexis Korner oder Brian Knight. Kulturell
beeindruckte ihn während seiner drei Studienjahre
nichts so sehr wie die Abende im Klub, und noch
Jahre später fand er, sie hätten nicht nur seinen Mu-
sikgeschmack, sondern sein ganzes Leben geprägt.

Die wenigen jungen Frauen, die er kannte – damals studierten noch nicht so viele –, kamen aus den
Vorstädten zum Unterricht und verschwanden am
späten Nachmittag wieder, offenbar einer strengen
elterlichen Anweisung gehorchend, laut der sie um
sechs Uhr wieder daheim zu sein hatten. Ohne ein
Wort vermittelten diese Frauen den unmißver-
ständlichen Eindruck, daß sie sich für ihren künftigen Gatten »aufsparten«. Und es war keine Frage –
hatte man Sex mit einer von ihnen, mußte man sie
heiraten. Zwei Freunde, beides talentierte Fußbal-
ler, entschieden sich für diesen Weg, heirateten im
zweiten Studienjahr und verschwanden prompt von
der Bildfläche. Einer der beiden Pechvögel wurde

für Edward zum besonders abschreckenden Beispiel. Er hatte ein Mädchen aus der Universitätsverwaltung geschwängert, woraufhin er, so seine Freunde, »vor den Altar geschleppt« und ein Jahr nicht mehr gesehen wurde, bis man ihn auf der Putney High Street dabei ertappte, wie er einen Kinderwagen schob, für jeden Mann damals noch schrecklich blamabel.

Zeitungen brachten Gerüchte über die Pille, lachhafte Versprechungen, noch eines dieser übertriebenen Geschichten aus Amerika. Der Blues, den Edward im Hundred Club hörte, raunte ihm zu, daß um ihn herum, bestimmt gleich um die nächste Ecke, Männer in seinem Alter phantastischen, grenzenlosen Sex hatten, reich an Befriedigungen aller Art. Die Popmusik war in dieser Hinsicht noch ziemlich nichtssagend und verklemmt, Filme wurden etwas deutlicher, doch in Edwards Kreisen mußten sich Männer mit dem Erzählen zweideutiger Witze zufriedengeben, mit verschämten Sexprotzereien und ausgelassener Kumpanei, zu der sie sich durch maßlosen Alkoholkonsum hinreißen ließen, der wiederum ihre Chancen verringerte, je ein Mädchen kennenzulernen. Der gesellschaftliche Wandel aber schritt stetig voran. Es gab Gerüchte, laut denen im Englischen Seminar, an der Straße zum Seminar für Orientalistik und Afrikanistik und am Kingsway in der London School of Economics Männer und Frauen mit engen schwarzen Jeans und schwarzen Rollkragenpullovern häufig schnellen Sex hatten, ohne vorher die Eltern ihrer Partner kennenzulernen. Sogar von Joints war die Rede. Manchmal schlenderte Edward probeweise vom Geschichtsseminar zum Englischen Seminar und hoffte, Spuren vom Paradies auf Erden zu entdecken, doch die Korridore, die Anschlagbretter und selbst die Frauen sahen hier nicht anders aus als sonst.

Florence wohnte am anderen Ende der Stadt unweit der Albert Hall in einem hochanständigen Wohnheim für Studentinnen, in dem um elf Uhr abends das Licht gelöscht wurde, männlicher Besuch zu jeder Tages- und Nachtzeit unerwünscht war und die Bewohnerinnen unaufhörlich von einem ins andere Zimmer huschten, um sich gegenseitig zu besuchen. Sie übte fünf Stunden am Tag und ging mit ihren Freundinnen häufig in Konzerte. Am besten gefiel ihr die Kammermusik in der Wigmore Hall, vor allem die Streichquartette; manchmal hörte sie sich fünf Aufführungen in der Woche an, sei es mittags oder am Abend. Sie liebte den düsteren Ernst des Gebäudes, die grauen, abblätternden Wände hinter der Bühne, das blankpolierte Holz und den dunkelroten Teppich im Foyer, das vergoldete Tunnelgewölbe des Konzertsaals und die berühmte Kuppel über der Bühne, die, so hatte man ihr erklärt, das Streben der Menschen nach Höherem verkörperte und den Genius der Harmonie durch einen Flammenball ewigen Feuers darstellte. Sie mochte die alten Leute, die Minuten brauchten, um aus ihren Taxis zu steigen, diese letzten Viktorianer, die am Stock zu ihren Plätzen schlurften, um in wachem, kritischem Schweigen zuzuhören, die mitgebrachte Decke über den Knien. Diese Fossilien mit ihren knöchernen, andächtig der Bühne zugeneigten Schädeln waren für Florence die Verkörperung von Kunstsinnigkeit und weisem Urteilsvermögen oder gar musikalischer Erfahrung, der die arthritischen Finger nicht länger Ausdruck verleihen konnten. Außerdem war es einfach aufregend zu wissen, daß so viele berühmte Musiker aus aller Welt schon in der Wigmore Hall gewesen waren und große Karrieren auf ebendieser Bühne ihren Anfang nahmen, auf der sie auch die sechzehnjährige Cellistin Jacqueline du Pré bei ihrem ersten Auftritt erlebt hatte. Für eine Violinistin war ihr Geschmack nicht ungewöhnlich, dafür aber ziemlich ausgeprägt. Eine Zeitlang schlug sie Beethovens Opus 18 in den Bann, dann seine späten Streichquartette. Darauf Schumann, Brahms und in ihrem Abschlußjahr die Quartette von Frank

Bridge, Bartók und Britten. Während ihrer Studienjahre hatte sie Musik all dieser Komponisten in der Wigmore Hall gehört.

Im zweiten Jahr erhielt sie einen Teilzeitjob hinter der Bühne, kochte Tee für die Künstler im geräumigen Grünen Salon und kauerte am Vorhangspalt, um rechtzeitig die Tür öffnen zu können, wenn die Musiker von der Bühne kamen. Bei Kammerkonzerten schlug sie für die Klavierspieler auch die Notenblätter um und stand eines Abends, als Lieder von Haydn, Frank Bridge und Britten aufgeführt wurden, sogar neben Benjamin Britten persönlich. Ein Junge sang mit Sopranstimme, und auch Peter Pears war da, der ihr zehn Schilling zusteckte, bevor er gemeinsam mit dem großen Komponisten das Haus verließ. Gleich nebenan, im Geschoß unter den Klavierverkaufsräumen, entdeckte sie jenen Übungsraum, in dem so namhafte Pianisten wie John Ogdon und Cherkassy die Tonleiter rauf und runter gedonnert waren und wie durchgeknallte Erstsemester bis in den frühen Morgen ihre Arpeggios in die Tasten gehämmert hatten. Wigmore Hall wurde für sie ein zweites Zuhause – jeder dunkle Winkel, jede schäbige Ecke, selbst die kalten Betonstufen, die hinab zu den Toiletten führten, wuchsen ihr ans Herz.

Zu ihren Aufgaben gehörte es auch, den Grünen

Salon aufzuräumen, und eines Nachmittags entdeckte sie im Papierkorb eine vom Amadeus-Quartett fortgeworfene Notiz. In steiler, unleserlicher Schrift stand da etwas über den ersten Satz in Schuberts Streichquartett Nr. 15. Florence war schrecklich aufgeregt, als sie die Worte schließlich entzifferte: »Tempo bei B!«, und der Gedanke ließ sie nicht mehr los, eine wichtige Nachricht erhalten zu haben, einen entscheidenden Hinweis. Zwei Wochen später, kurz nach Beginn ihres letzten Studienjahres, bat sie drei der besten Studenten der Musikhochschule, mit ihr zusammen ein eigenes Quartett zu gründen.

Nur das Cello wurde von einem Mann gespielt, doch hegte Florence keinerlei romantische Gefühle für Charles Rodway. Für die Männer am College, meist fanatische Musiker mit leidenschaftlichem Ehrgeiz, die sich ausschließlich für ihr Instrument und ihr Repertoire interessierten, hatte sie noch nie viel übrig gehabt. Wenn eines der Mädchen aus ihrer Gruppe anfing, fest mit einem Studenten zu gehen, verschwand sie spurlos – genau wie Edwards Fußballerfreunde. Es war, als trete die junge Frau in ein Kloster ein. Da es unmöglich schien, mit einem Jungen auszugehen und gleichzeitig den Freundinnen treu zu bleiben, entschied sich Florence für die Wohnheimclique. Sie mochte das neckische Geplänkel, den vertrauten, freundschaftlichen Umgang und die Art, wie die Mädchen ihre Geburtstage groß feierten und jeden aufmerksam mit Tee, Decken und Obst versorgten, der die Grippe bekam. Während ihrer Studienjahre fühlte sie sich frei und unbeschwert.

Die Londoner Stadtpläne von Edward und Florence überlappten sich nur an wenigen Stellen. Florence wußte kaum etwas über die Pubs in Fitzrovia und Soho, und obwohl sie es immer vorgehabt hatte, war sie nie im Lesesaal des Britischen Museums gewesen. Edward hatte dagegen noch nie von der Wigmore Hall gehört, kannte keine einzige Teestube in ihrer Wohngegend, hatte noch nie ein Picknick im Hydepark gemacht und war auch noch nie auf dem Serpentine-See gerudert. Sie fanden es deshalb schrecklich aufregend, als sie entdeckten, daß sie 1959 beide auf dem Trafalgar Square gewesen waren, zusammen mit zwanzigtausend weiteren Menschen und fest entschlossen, die Atombombe zu verhindern.

Sie lernten sich erst nach dem Examen kennen, als sie zu ihren Familien heimkehrten, zurück in die lähmende Stille der Kindheit, um in der Hitze zwei ereignislose Wochen lang auf die Prüfungsergebnisse zu warten. Später faszinierte es sie beide, daß sie sich um ein Haar nicht begegnet wären. Für Edward hätte dieser besondere Tag wie alle anderen verlaufen können – er hätte sich wie üblich ans äußerste Ende des schmalen Gartens zurückgezogen, um auf der bemoosten Bank im Schatten der großen Ulme zu sitzen, zu lesen und seiner Mutter aus dem Weg zu gehen. Kaum fünfzig Meter entfernt hätte er ihr Gesicht blaß und verschwommen wie eines ihrer Aquarelle hinter dem Küchen- oder Wohnzimmerfenster gesehen, wie sie ihn oft zwanzig Minuten lang reglos beobachtete. Er versuchte, sie zu ignorieren, doch war ihr Blick, als legte sie ihm eine Hand auf den Rücken oder die Schulter. Danach hörte er oben das Klavier, wenn sie etwas aus dem Notenbüchlein für Anna Magdalena klimperte, damals das einzige klassische Musikstück, das er kannte. Eine halbe Stunde später war sie dann wieder am Fenster und schaute erneut zu ihm herüber. Wenn sie ihn mit einem Buch in der Hand sah, kam sie nie nach draußen, um mit ihm zu reden. Schon vor Jahren, als Edward noch zur Schule ging, hatte sein Vater ihr geduldig beigebracht, ihren Sohn unter keinen Umständen zu stören, wenn er sich über seine Bücher beugte.

In diesem Sommer nach dem Examen galt Edwards Interesse dem revolutionären Messianismus im Mittelalter und dessen fanatischen, verblendeten

Anführern. Schon zum zweiten Mal in diesem Jahr las er Norman Cohns *Ringen um das Tausendjährige Reich*. Angestachelt von Bildern der Apokalypse aus der Offenbarung und dem Buch Daniel und überzeugt davon, der Papst sei der Antichrist, das Ende der Welt also nahe, sowie dem Glauben verfallen, es würden nur jene gerettet werden, die reinen Gewissens seien, fegte der Mob durch die deutschen Lande, zog von Stadt zu Stadt, massakrierte Juden, wo und wann immer er ihrer habhaft werden konnte, aber auch Priester und manchmal sogar die Reichen. Diese Aufstände wurden von den Behörden zwar niedergeschlagen, doch entstand meist nur wenige Jahre später an einem anderen Ort eine neue Sekte. Stumpfsinnig und behütet, wie sein Leben war, erfaßte Edward angesichts dieser wiederkehrenden Epidemien der Unvernunft ein Schauder der Faszination, und zugleich war er froh, in einer Zeit zu leben, in der die Religion nahezu bedeutungslos geworden war. Er überlegte, ob er sich zur Promotion anmelden sollte, falls seine Abschlußnote dafür ausreichte. Dieser mittelalterliche Irrglaube könnte dann sein Thema sein.

Auf Spaziergängen durch die Buchenwälder träumte er davon, eine Reihe kurzer Biographien über vom Vergessen bedrohte Persönlichkeiten zu verfassen, die am Rand wichtiger geschichtlicher

Ereignisse gestanden hatten. Als erstes würde er über Sir Robert Carey schreiben, jenen Mann, der in siebzig Stunden von London nach Edinburgh geritten war, um die Nachricht vom Tode Elisabeths der Ersten ihrem Nachfolger, dem schottischen König James dem Sechsten, zu überbringen. Carey war ein interessanter Mann, der dankenswerterweise Memoiren verfaßt hatte. Er kämpfte gegen die spanische Armada, wußte hervorragend mit dem Schwert umzugehen und war Mäzen der *Lord Chamberlain's Men*, ehedem Londons erfolgreichste Theatertruppe. Mit seinem beschwerlichen Ritt in Richtung Norden hatte er die Gunst des neuen Königs erringen wollen, doch geriet er statt dessen fast vollständig in Vergessenheit.

In seinen realistischeren Momenten sagte sich Edward, daß er lieber eine ordentliche Stelle suchen und Geschichte an einem Gymnasium unterrichten sollte; außerdem mußte er irgendwie dafür sorgen, daß er um den Wehrdienst herumkam.

Wenn er nicht las, wanderte er meist die Lindenallee entlang zum Dorf Northend, wo sein Schulfreund Simon Carter lebte. An diesem besonderen Morgen aber war er die Bücher, den Vogelgesang und den ländlichen Frieden leid, holte das klapprige Jungenrad aus dem Schuppen, stellte den Sattel höher, pumpte die Reifen auf und fuhr ohne bestimmtes Ziel davon. Er hatte zwei Half Crowns und einen Pfundschein in der Tasche und wollte einfach nur den Ausflug genießen. Mit kaum funktionierenden Bremsen, doch halsbrecherischem Tempo brauste er unter dem grünen Blätterdach den steilen Hügel hinab, am Hof der Balhams vorbei, dem der Straceys, dann ins Tal, und als er am eisernen Gitter von Stonor Park vorüberflog, beschloß er, noch vier Meilen weiter nach Henley zu fahren. Dort angekommen, radelte er schließlich zum Bahnhof, getrieben von der unbestimmten Absicht, Freunde in London zu besuchen, aber der Zug, der am Gleis wartete, fuhr in die entgegengesetzte Richtung.

Anderthalb Stunden später spazierte er in der Mittagshitze durch Oxford, immer noch leicht gelangweilt und unzufrieden mit sich selbst, weil er bloß sein Geld und seine Zeit vergeudete. Dies hier war einmal das Zentrum seiner Welt gewesen, Quell und Erfüllung beinahe aller jugendlichen Träume und Wünsche. Doch nach London kam ihm Oxford wie eine Spielzeugstadt vor, putzig, provinziell und geprägt von lächerlichem Dünkel. Als ein Porter mit seinem typischen Trilbyhut auf dem Kopf ihn aus dem Schatten eines College-Eingangs heraus ungnädig anfunkelte, wäre er fast umgekehrt, um ihn zur Rede zu stellen. Statt dessen beschloß er, sich zum Trost ein Bier zu gönnen. Auf dem Weg zum *Eagle and Child* entdeckte er beim Überqueren der St. Giles Street ein handgeschriebenes Schild mit dem Hinweis auf ein Mittagstreffen der örtlichen Anti-Atom-Gruppe und zögerte. Für derlei Versammlungen, ihre pathetische Rhetorik und nörgelige Rechthaberei, hatte er eigentlich nicht viel übrig. Natürlich waren die Bomben schrecklich und sollten verboten werden, aber viel Neues hatte er auf solchen Treffen noch nie erfahren. Trotzdem, er war zahlendes Mitglied, hatte nichts weiter zu tun und fühlte sich irgendwie verpflichtet. Er war es der Welt schuldig, zu ihrer Errettung beizutragen.

Über einen gefliesten Flur betrat er einen düsteren Saal mit niedrigen, bemalten Deckenbalken, in dem es wie in einer Kirche nach Staub und Holzpolitur roch und das Echo leise streitender Stimmen zu hören war. Die erste Person, die er sah, sobald sich seine Augen an das Dämmerlicht gewöhnt hatten, war Florence, die an der Tür stand und mit einem drahtigen, gelbgesichtigen Kerl redete, der einen Stapel Flugblätter in der Hand hielt. Sie trug ein weißes Baumwollkleid, dessen Rock wie ein Pettycoat ausgestellt war, dazu einen schmalen, blauen, enganliegenden Ledergürtel. Einen Moment lang hielt er sie für eine Krankenschwester –

auf abstrakte, durchaus konventionelle Weise fand er Krankenschwestern ziemlich erotisch, weil sie, so malte er es sich gerne aus, über seinen Körper und dessen Bedürfnisse Bescheid wußten. Anders als die Mädchen, die er sonst auf der Straße oder in Geschäften anschaute, wandte Florence den Blick nicht von ihm ab, sondern musterte ihn fragend oder amüsiert, vielleicht auch gelangweilt und auf der Suche nach Abwechslung. Es war ein seltsames Gesicht, schön, gewiß, doch zugleich markant und starkknochig. In dem dämmrigen Saal ließ das eigenartige, durch ein hohes Fenster einfallende Licht ihr Gesicht wie eine geschnitzte Maske wirken, besonnen und ausdrucksstark, aber unergründlich. Er war nicht stehengeblieben, als er den Saal betreten hatte, und ging nun auf sie zu, ohne die geringste Ahnung, was er ihr sagen sollte. Er hatte noch nie Geschick darin bewiesen, ein Gespräch anzufangen. Doch selbst während er auf sie zuging, ließen ihre Augen ihn nicht los, und kaum war er nahe genug, nahm sie ihrem Freund ein Flugblatt ab und sagte: »Möchten Sie? Es erklärt, was passiert, wenn eine Wasserstoffbombe auf Oxford fällt.«

Ihre Finger strichen sicherlich nicht zufällig über die Innenseite seines Handgelenks, als er ihr das Blatt abnahm. »Ich wüßte nicht, was ich lieber läse«, sagte er.

Der Kerl an ihrer Seite starrte ihn giftig an und wartete darauf, daß er weiterging, aber Edward blieb, wo er war.

Florence hielt es ebenfalls nicht mehr zu Hause aus in der großen viktorianischen Villa im neugotischen Stil kaum fünfzehn Minuten Fußweg entfernt, in einer Seitenstraße der Banbury Road. Ihre Mutter, Violet, die trotz der Hitze den ganzen Tag lang Examensarbeiten korrigierte, konnte das ewige Üben ihrer Tochter nicht ertragen – diese ständigen Tonleitern, Doppelgriffe und Arpeggios, das Auswendigspielen. Violet redete von Gefiedel, wenn sie etwa sagte: »Ich bin mit meiner Arbeit noch nicht fertig, Liebling. Könntest du mit dem Gefiedel bitte bis nach dem Tee warten?«

Es war als liebevoller Scherz gemeint, aber Florence, die in dieser Woche ungewöhnlich gereizt wirkte, sah darin nur einen weiteren Beweis dafür, daß Violet ihre Berufswahl als Musikerin mißbilligte und jeder Art von Musik und damit auch ihrer Tochter gegenüber feindselig eingestellt war. Florence wußte, sie sollte Mitleid mit ihrer Mutter haben. Violet war so unmusikalisch, daß sie keine einzige Melodie wiedererkannte, selbst die Nationalhymne vermochte sie nur durch die jeweiligen Umstände von ›Happy Birthday‹ zu unterscheiden.

Sie gehörte zu jenen Menschen, die nicht sagen können, welcher von zwei Tönen höher oder tiefer ist. Eine solche Beeinträchtigung, eine solche Behinderung war gewiß ebenso schlimm wie ein Klumpfuß oder eine Hasenscharte, doch nach den Freiheiten, die Florence in Kensington genossen hatte, fand sie jede Minute zu Hause einfach nur bedrückend und konnte kein Mitgefühl für ihre Mutter aufbringen. Selbstverständlich machte es ihr zum Beispiel nichts aus, jeden Morgen ihr Bett zu machen – sie kannte es nicht anders –, doch fand sie es unerträglich, bei jedem Frühstück gefragt zu werden, ob sie es auch nicht vergessen habe.

Wie so oft, wenn sie länger fort gewesen war, rief ihr Vater widerstreitende Gefühle in ihr wach. Es gab Momente, da fand sie ihn körperlich abstoßend und konnte seinen Anblick kaum ertragen – die schimmernde Glatze, die kleinen weißen Hände, seine ewigen Pläne, mit denen er das Haus verschönern und noch mehr Geld scheffeln wollte. Und der hohe Tenor, einschmeichelnd und herrisch zugleich, sein blasierter Akzent. Sie haßte es, sich begeisterte Berichte über die Yacht mit dem lächerlichen Namen *Sugar Plum* anhören zu müssen, die in Poole vor Anker lag. Und es zerrte an ihren Nerven, wenn er von einem neuartigen Segel erzählte, einem Seefunkgerät, einem speziellen Bootslack.

Früher war er oft mit ihr hinausgefahren, manchmal, sie war zwölf, dreizehn Jahre, sogar bis nach Carteret bei Cherbourg. Doch darüber verlor niemand je mehr ein Wort. Zu ihrer Erleichterung hatte er sie später auch nie mehr gebeten, mit ihm zu kommen. Manchmal aber, in einem Anfall von Beschützerinstinkt und reuiger Liebe, trat sie hinter seinen Sessel, barg seinen Kopf in ihren Armen, küßte ihn auf seine Glatze und genoß seinen sauberen Geruch. Später würde sie sich dafür hassen.

Auch ihre jüngere Schwester entnervte sie mit ihrem frisch zugelegten Cockney-Akzent und der einstudierten Blödheit am Klavier. Wie sollten sie für ihren Vater vierhändig einen Sousa-Marsch spielen, wenn Ruth tat, als könnte sie keine vier Schläge in einem Takt zählen?

Florence war es stets leichtgefallen, ihre Gefühle vor der Familie zu verbergen. Sie zog sich in solchen Situationen einfach möglichst unauffällig aus dem Zimmer zurück, stolz, den Eltern oder ihrer Schwester nichts Böses oder Verletzendes gesagt zu haben, da sie sonst die ganze Nacht mit schlechtem Gewissen wach gelegen hätte. Immer wieder rief sie sich in Erinnerung, wie sehr sie ihre Familie liebte, und verbarrikadierte sich nur um so auswegloser in ihrem Schweigen. Daß man sich streiten konnte, sogar heftig, und sich dann wieder vertrug, das wußte sie. Bloß war ihr nicht ganz klar, wie man es anstellte; sie begriff nicht, wie man einen die Atmosphäre reinigenden Krach vom Zaun brach, und sie konnte auch nie recht glauben, daß sich harte Worte zurücknehmen oder vergessen ließen. Am besten achtete man darauf, nichts zu verkomplizieren. Dann mußte sie auch nur sich selbst Vorwürfe machen, wenn sie sich vorkam wie eine jener Comicfiguren, denen der Dampf aus den Ohren zischte.

Außerdem hatte sie andere Sorgen: Sollte sie sich für einen Platz in den hinteren Reihen eines Provinzorchesters bewerben – sie würde sich glücklich schätzen können, wenn das Bournemouth-Symphonieorchester sie nahm –, oder sollte sie ein weiteres Jahr von ihren Eltern abhängig bleiben, von ihrem Vater also, und mit dem Streichquartett für den ersten Auftritt proben? Sie müßte dann in London wohnen, wollte Geoffrey aber nicht um noch mehr Geld bitten. Charles Rodway, der Cellist, hatte ihr ein Zimmer im Haus seiner Eltern angeboten, aber er war ein eigenbrötlerischer, anstrengender Kerl, der ihr stiere, bedeutungsvolle Blicke über den Notenständer hinweg zuwarf. Würde sie bei ihm wohnen, wäre sie ihm ausgeliefert. Sie könnte auch jederzeit eine volle Stelle bei einem Trio in einem heruntergekommenen Grandhotel im Süden Londons annehmen, das Unterhaltungsmusik wie das Palm Court Light Orchestra spielte. Und wegen der Salonmusik, die sie dann spielen mußte, brauchte sie keine Skrupel zu haben – es würde sowieso niemand zuhören –, aber irgendein Instinkt oder auch blanker Snobismus sagte ihr, sie könne unmöglich im heruntergekommenen Croydon oder auch nur in der Nähe dieses Stadtteils wohnen. Also tröstete sie sich damit, daß ihr die Examensergebnisse bei ihrer Entscheidung helfen würden, und verbrachte jene Tage – genau wie Edward die seinen in den waldigen, gut zwanzig Kilometer weiter östlich gelegenen Hügeln – damit, in einer Art Vorzimmer des Daseins zu verharren und ungeduldig darauf zu warten, daß das Leben endlich anfing.

Heimgekehrt vom College und kein Schulmädchen mehr, zudem auf eine Weise erwachsen, die niemand im Haus wahrzunehmen schien, dämmerte es Florence, daß ihre Eltern ziemlich fragwürdige politische Einstellungen hatten, und wenigstens dazu erlaubte sie sich am Essenstisch offenen Widerspruch in Gesprächen, die sich bis in die Sommerabende hinzogen. Doch auch wenn sie sich dadurch etwas Luft verschaffte, steigerten diese Diskussionen zugleich ihre Gereiztheit. So interessierte sich Violet zwar ernsthaft für die Mitgliedschaft ihrer Tochter in einer Anti-Atom-Gruppe, doch fand Florence es trotzdem ziemlich anstrengend, eine Philosophin als Mutter zu haben. Ihre scheinbare Gelassenheit provozierte sie, vor allem aber die bekümmerte Miene, die Violet aufsetzte, während sie ihre Tochter nur ausreden ließ, um gleich danach die eigene Ansicht zum besten zu geben. Die Sowjetunion, so ihre Mutter, sei eine zynische Diktatur, ein grausamer, herzloser Staat, der für Völkermord in einem größeren Maße als selbst die Nazis verantwortlich war und ein riesiges, noch kaum bekanntes Netz politischer Gefangenenlager errichtet hatte. Sie redete von Schauprozessen, von Zensur und fehlendem Gesetz. Die Sowjetunion hatte die Würde des Menschen und seine Grundrechte mit Füßen getreten, dieser Staat war eine tyrannische Besatzungsmacht in den Nachbarländern – Ungarn und Tschechen zählten zu Violets akademischen Freunden – und strebte nach einer Expansion, der fraglos Einhalt geboten werden müsse, so wie man einst auch Hitler aufgehalten habe. Und wenn wir uns der UdSSR nicht widersetzen konnten, weil es uns an den nötigen Panzern und Soldaten fehlte, um die norddeutsche Tiefebene zu verteidigen, dann müßten wir eben zur Abschreckung greifen. Einige Monate später sollte sie auch noch triumphierend auf den Bau der Berliner Mauer verweisen – der kommunistische Block sei jetzt nur noch ein einziges großes Gefängnis.

Florence blieb zuinnerst davon überzeugt, daß es sich bei der Sowjetunion trotz all ihrer Fehler – die gewiß eher Ungeschick, Unfähigkeit oder einem Abwehrreflex als böser Absicht geschuldet waren – im Grunde doch um eine wohlmeinende Weltmacht handelte, die sich schon immer für die Befreiung der Unterdrückten eingesetzt und den Faschismus sowie die verheerenden Folgen des unersättlichen Kapitalismus bekämpft hatte. Den Vergleich mit Nazi-Deutschland fand sie widerlich. Es enttäuschte sie, daß sich ihre Mutter offensichtlich von proamerikanischer Propaganda beeinflussen ließ. Das sagte sie auch.

Ihr Vater dagegen hatte Ansichten, wie sie von einem Geschäftsmann nicht anders zu erwarten waren. Nach einer halben Flasche Wein konnte die Wahl seiner Worte durchaus ein wenig schärfer ausfallen: Harold Macmillan war ein Trottel, weil er das Empire kampflos preisgab; er war ein blöder Trottel, weil er den Gewerkschaften keine Lohnzurückhaltung auferlegte, und ein verdammt blöder Trottel, weil er mit der Mütze in der Hand zu den Europäern lief und darum bettelte, in ihren unseligen Klub aufgenommen zu werden. Geoffrey zu widersprechen fiel Florence deutlich schwerer.

Sie wurde ihm gegenüber nie das Gefühl einer peinlichen Verpflichtung los. Zu den Privilegien ihrer Kindheit hatte es gehört, daß er jene lebhafte Aufmerksamkeit auf sie richtete, die eigentlich eher einem Bruder, einem Sohn zukam. Letzten Sommer hatte ihr Vater sie nach der Arbeit regelmäßig in seinem Humber mitgenommen, damit sie sich gleich nach dem einundzwanzigsten Geburtstag für die Führerscheinprüfung anmelden konnte. Sie war durchgefallen. Geigenstunden seit dem fünften Lebensjahr mit Begabtenkursen im Sommer, Skiunterricht und Tennisstunden, nur gegen die Anmeldung zum Flugschein hatte sie sich trotzig gewehrt. Und dann die Reisen, nur sie beide: Wandern in den Alpen, in der Sierra Nevada und in den Pyrenäen, und als besondere Überraschungen kurze Geschäftsreisen in die europäischen Hauptstädte, wo sie mit Geoffrey in den besten Hotels übernachtete.

Als Florence mittags nach einem wortlosen Streit mit ihrer Mutter wegen einer unwichtigen Kleinigkeit im Haushalt – Violet gefiel nicht, wie ihre Tochter mit der Waschmaschine umging – aus dem Haus lief, sagte sie, sie wolle einen Brief zur Post bringen und werde zum Mittagessen nicht zurück sein. Mit der unbestimmten Absicht, zur Markthalle zu spazieren und dabei vielleicht der einen oder anderen Schulfreundin zu begegnen, ging sie auf der Banbury Road in Richtung Stadtzentrum. Vielleicht würde sie sich auch bloß ein Brötchen kaufen und es auf dem Rasen vor dem Christ Church College essen, unter einem Baum am Flußufer. Als sie das Schild bemerkte, das Edward eine Viertelstunde später sehen sollte, folgte sie geistesabwesend dem Pfeil. In Gedanken war sie bei ihrer Mutter. Nach den Jahren mit den fürsorglichen Freundinnen im Wohnheim fiel ihr seit der Heimkehr erst so richtig auf, wie unkörperlich ihre Mutter war. Nie wurde Florence von ihr umarmt oder geküßt, das war auch früher nicht anders gewesen. Ihre Mutter hatte sie kaum je angefaßt. Und das war vielleicht auch ganz gut so. Violet war hager und knochig, und Florence sehnte sich nicht unbedingt nach ihrer Zärtlichkeit. Um jetzt damit anzufangen, war es außerdem zu spät.

Daß sie einen Fehler gemacht hatte, wußte sie schon wenige Augenblicke nachdem sie aus dem Sonnenlicht in den Saal getreten war. Während sich ihre Augen ans Halbdunkel gewöhnten, schaute sie sich mit einer Neugier um, die auch nicht größer gewesen wäre, wenn sie die Silbergeschirrsammlung im Ashmolean-Museum betrachtet hätte. Ein Junge aus Nordoxford, dessen Namen ihr entfallen war, ein schlaksiger Zweiundzwanzigjähriger mit Brille, tauchte plötzlich aus dem Dämmerlicht auf und nahm sie in Beschlag. Ohne jede Einleitung begann er ihr die Folgen des Abwurfs einer einzigen Wasserstoffbombe über Oxford zu schildern. Vor knapp einem Jahrzehnt – damals waren sie beide dreizehn gewesen – hatte er sie nach Park Town zu sich nach Hause eingeladen, nur drei Straßen weiter, wo sie eine neue Errungenschaft bewundern durfte, einen Fernsehapparat, den ersten, den sie je gesehen hatte. Auf einem kleinen, trüben, von geschnitzten Mahagonitüren eingefaßten Bildschirm saß ein Mann im Smoking an einem Tisch, während um ihn ein Schneesturm zu toben schien. Florence fand, es sei ein lächerliches Gerät ohne jede Zukunft, doch seither glaubte dieser Junge – John? David? Michael? – offenbar, er habe sich ihre Freundschaft verdient und dürfe diese Schuld nun eintreiben.

Das Pamphlet, von dem er zweihundert Stück unter dem Arm hielt, veranschaulichte Oxfords Schicksal, und Florence sollte die Zettel in der Stadt verteilen helfen. Als er sich vorbeugte, roch sie die Pomade in seinem Haar. Seine papierne Haut wirkte gelbstichig im Dämmerlicht, dicke Gläser verengten die Augen zu schmalen schwarzen Schlitzen. Florence, die zu keiner Unhöflichkeit fähig war, setzte eine interessierte Miene auf. Hochgewachsene, schlanke Männer hatten etwas Faszinierendes: wie Knochen und Adamsapfel beinahe unverhüllt unter der Haut vortraten, das Vogelgesicht, die raubtierhaft gebeugte Gestalt. Der Bombenkrater, den er beschrieb, maß knapp einen Kilometer in der Breite und in der Tiefe über dreißig Meter. Wegen der Radioaktivität würde man zehntausend Jahre lang nicht einmal in die Nähe von Oxford dürfen. Fast schien, was er sagte, Erlösung zu verheißen. Dabei prangte die prächtige Stadt draußen in sommerlicher Blüte, die Sonne wärmte den honigfarbenen Cotswolds-Stein, und der Rasen vor dem Christ Church College war saftig grün. Hier im Saal sah sie über die schmalen Schultern des jungen Mannes hingegen nichts als murmelnde, Stühle aufstellende, durchs Halbdunkel irrende Gestalten – und dann entdeckte sie Edward, der direkt auf sie zukam.

Viele Wochen später, wiederum an einem heißen Tag, stakten sie mit einem Kahn den Cherwell hinauf zum *Vicky Arms* und ließen sich dann zum Bootshaus treiben. Unterwegs hielten sie an einer Rotdorngruppe an und ruhten sich in deren kühlem Schatten aus; Edward lag auf dem Rücken, einen Grashalm zwischen den Zähnen, Florence mit dem Kopf auf seinem Arm. Sobald sie auch nur einen Moment verstummten, hörten sie die Wellen glukkern und wie das Boot dumpf gegen den Baumstumpf schlug, an dem Edward es festgemacht hatte. Ein leichter Wind trug gelegentlich das seltsam besänftigende Rauschen des Verkehrslärms von der Banbury Road herüber. Eine Singdrossel ließ ihr kunstvolles Lied ertönen, wiederholte eifrig jede Strophe und kapitulierte schließlich vor der Hitze.

Edward hatte mehrere Jobs, der wichtigste war der eines Platzwarts im Kricketklub. Florence verbrachte fast jede freie Minute mit dem Quartett. Für Zweisamkeit blieb wenig Zeit, doch war sie deshalb um so kostbarer. Diesmal hatten sie sich einen Samstagnachmittag gestohlen. Sie wußten, es würde einer der letzten richtigen Hochsommertage sein – es war Anfang September, und Gräser und Blätter waren noch grün, sahen aber schon ein wenig schlaff und erschöpft aus. Das Gespräch der beiden hatte sich jenem – mittlerweile von Legenden umrankten – Moment zugewandt, in dem sie einander zum ersten Mal begegnet waren.

Als Antwort auf eine mehrere Minuten zuvor von Edward gestellte Frage erwiderte Florence schließlich: »Weil du keine Jacke getragen hast.«

»Was dann?«

»Hmm, ein weites, weißes Hemd mit bis zu den Ellbogen hochgekrempelten Ärmeln, dessen Schöße aus dem Hosenbund vorkamen...«

»Unsinn.«

»Dazu eine graue Flanellhose mit einer Stopf-
stelle am Knie, schmutzige, an den Zehen schon fast
durchgestoßene Turnschuhe und langes Haar, das
dir bis in die Augen hing.«

»Ist das alles?«

»Weil du ein bißchen wild ausgesehen hast, so als
hättest du dich geprügelt.«

»Ich war seit dem Vormittag mit dem Rad unterwegs gewesen.«

Sie stützte sich auf die Ellbogen, um sein Gesicht
besser studieren zu können, und wieder ließen ihre
Blicke einander nicht los. Es war für sie noch eine
neue, schwindelerregende Erfahrung, einem anderen Erwachsenen minutenlang hemmungslos und
ohne Verlegenheit in die Augen sehen zu können.
Nichts, dachte er, kam dem eigentlichen Liebesspiel
näher. Sie zog ihm den Grasstengel aus dem Mund.

»Was bist du doch für ein Naturbursche.«

»Quatsch. Was noch?«

»Na schön, weil du in der Tür stehengeblieben
bist und dich umgesehen hast, als wenn dir der Saal
gehörte. Stolz. Nein, eigentlich eher ziemlich
dreist.«

Er lachte. »Dabei habe ich mich über mich selbst
geärgert.«

»Und dann hast du mich entdeckt«, fuhr Flo-

rence fort, »und beschlossen, mich so lange anzu-
starren, bis ich die Fassung verliere.«

»Stimmt gar nicht. Du hast mich gesehen und dir
gesagt, daß ich keinen zweiten Blick wert bin.«

Sie küßte ihn, aber nicht leidenschaftlich, eher
neckisch, zumindest kam es ihm so vor. In jener
Anfangszeit hatte er noch die vage Hoffnung ge-
hegt, sie sei eines jener legendären Mädchen aus
gutem Hause, das mit ihm bis zum Äußersten gehen würde, und zwar schon bald. Aber bestimmt
nicht im Freien und nicht an diesem befahrenen
Flußabschnitt.

Er zog sie enger an sich, bis die Nasen sich fast
berührten und sie das Gesicht des anderen nicht
mehr erkennen konnten. »Also hast du nun damals
gedacht, daß es Liebe auf den ersten Blick ist?«

Er fragte in leichtem, beinahe spöttischem Ton,
aber sie beschloß, ihn ernst zu nehmen. Zwar wun-
derte sie sich gelegentlich darüber, worauf sie sich
einließ, doch lagen die Ängste, die sie erwarteten,
noch in weiter Ferne. Erst vor einem Monat hatten
sie sich ihre Liebe gestanden, und das war für Florence so aufregend gewesen, daß es sie eine schlaf-
lose Nacht gekostet hatte, in der sich ihr in unbestimmter Furcht die Frage aufdrängte, ob sie nicht
zu impulsiv gewesen war und etwas aufgegeben, etwas Wichtiges preisgegeben hatte, das ihr eigentlich

gar nicht gehörte. Trotzdem fand sie ihre Gefühle viel zu interessant, zu neu, zu schmeichelhaft und auch zu tröstlich, um ihnen zu widerstehen; verliebt zu sein und es laut zu sagen, das war wie eine Befreiung, von der sie sich immer wieder mitreißen ließ. Jetzt, am Flußufer, in der einschläfernden Hitze an einem der letzten Sommertage des Jahres, konzentrierte sie sich auf jenen Augenblick, als er in den Saal gekommen war, auf das, was sie gesehen und gefühlt hatte, als sie sich zum ersten Mal trafen.

Um sich besser erinnern zu können, rückte sie von ihm ab, richtete sich auf und wandte den Blick von seinem Gesicht zum langsam dahinströmenden, trübgrünen Fluß. Plötzlich war es mit der Ruhe vorbei. Einige Meter stromaufwärts bot sich ein vertrautes Bild: Eine Rammschlacht zwischen zwei überladenen Stechkähnen, die rechtwinklig ineinander verkeilt um die seichte Flußbiegung trieben, Studenten, die mit dem üblichen Geplansche, Gekreisch und Piratengebrüll über die Stränge schlugen und Florence daran erinnerten, wie sehnlich sie sich immer schon von hier fortgewünscht hatte. Schon als Schulmädchen hatten sie und ihre Freundinnen solche Leute unerträglich gefunden, diese kindischen Eindringlinge in ihre Heimatstadt.

Sie versuchte sich wieder auf ihre erste Begegnung zu konzentrieren. Er war auffällig angezogen gewesen, aber sein Gesicht hatte sie besonders interessant gefunden – das feine Oval mit der hohen, nachdenklichen Stirn, den dunklen, geschwungenen Brauen und einem gleichmütig über die Menge schweifenden Blick, der geistesabwesend an ihr hängenblieb, so als stellte er sich bloß vor, daß er sie sah, träumte sie nur. Hilfreich ergänzte die Erinnerung, was sie noch nicht gehört haben konnte, den Oxforder Akzent mit ländlichem Einschlag, einer dezenten Beimischung von West Country.

Sie wandte sich ihm wieder zu. »Du hast mich neugierig gemacht.«

In Wahrheit war alles noch viel komplizierter gewesen. Sie war nicht ihrer Neugier gefolgt. Sie war auch nicht auf die Idee gekommen, sie könnte sich mit ihm verabreden oder ein Wiedersehen herbeiführen. Es war, als hätte sich ihre Neugier verselbständigt und hatte nichts mehr mit ihr zu tun, sie selbst war wie gar nicht anwesend. Erst als sie sich verliebte, merkte sie, wie seltsam abgeschottet von allem sie bislang gelebt hatte. Wann immer Edward fragte: »Wie fühlst du dich?« oder »Was denkst du gerade?«, gab sie eine hilflose Antwort. Erst jetzt wurde ihr allmählich klar, daß es einen ganz einfachen Trick zu geben schien, den außer ihr offenbar jeder beherrschte. Etwas so Simples, daß es niemand erwähnte: einen unmittelbaren Zugang zu Menschen und Ereignissen, zu den eigenen Wünschen und Bedürfnissen. All die Jahre hatte sie von den anderen und seltsamerweise auch von sich selbst abgeschnitten gelebt, hatte niemals gewagt, geschweige denn gewünscht, einen Blick zurückzuwerfen. Schon in den ersten Sekunden, dem ersten Blickwechsel im gefliesten, widerhallenden Saal mit den wuchtigen, niedrigen Deckenbalken, waren die Probleme vorhanden gewesen, die sie mit Edward haben würde.

Edward wurde im Juli 1940 geboren, in jener Woche, in der die Schlacht um England begann. Lionel, sein Vater, sollte später erzählen, die Geschichte habe in jenem Sommer zwei Monate lang den Atem angehalten, ehe sie sich entschied, ob die erste Sprache seines Sohnes nun Deutsch werden würde oder nicht. Erst zu seinem zehnten Geburtstag fand Edward heraus, daß es sich dabei bloß um eine Redensart gehandelt hatte – im besetzten Frankreich zum Beispiel sprachen die Kinder auch weiterhin überall Französisch.

Turville Heath war kaum ein Dorf zu nennen, es bestand nur aus ein paar Bauernhäusern auf der Gemeindeflur und am Waldrand auf dem breiten Hügelrücken oberhalb von Turville. Ende der dreißiger Jahre war die Stadtgrenze des fünfundvierzig Kilometer entfernten Londons bereits bis zum nordöstlichen Ende der Chiltern Hills vorgedrungen und hatte den Landstrich in ein Vorstadtparadies verwandelt. Doch im äußersten Südwesten, südlich von Beacon Hill, wo eines Tages ein steter Strom Autos und Lastwagen auf einer Autobahn durch einen Einschnitt in den Kreidefelsen in Richtung Birmingham rollen sollte, war die Gegend noch fast unversehrt.

Vom Haus der Mayhews führte ein steiler, ausgefahrener Weg durch einen Buchenwald am Hof der Spinneys vorbei ins Wormsleytal hinab, das von einem durchreisenden Schriftsteller einmal ein verborgenes Juwel genannt worden war. Seit Jahrhunderten gehörte es derselben Bauernfamilie, den Fanes. Noch 1940 stammte das Wasser im Haus der Mayhews aus einem Brunnen, von dem man es in die Dachkammer trug, wo es in einen Sammeltank gegossen wurde. Daß damals, als das Land sich auf einen Krieg gegen Hitler vorbereitete, Edwards Geburt von den Behörden als Notfall eingestuft wurde, als eine Hygienekrise, war längst in die Familiengeschichte eingegangen. Mit Picke und Schaufel waren die Männer gekommen, ältere Männer, um im September jenes Jahres, als die Bombenangriffe auf London begannen, Wasser von der Hauptleitung in der Northend Road für die Mayhews abzuzweigen.

Lionel Mayhew war Direktor der Grundschule in Henley. Frühmorgens stieg er aufs Rad und fuhr die acht Kilometer zur Schule hinunter, und am Ende des Tages schob er sein Rad wieder die lange, steile Anhöhe hinauf zur Heide, Hausaufsätze und Klassenarbeiten im Weidenkorb an der Lenkstange. 1945, in jenem Jahr, in dem die Zwillingsmädchen geboren wurden, kaufte er sich in Christmas Common für elf Pfund ein gebrauchtes Auto von der Witwe eines auf dem Atlantik verschollenen Marineoffiziers. Ein Motorwagen, der sich auf den schmalen Kalksteinwegen an Karren oder Gäulen im Pfluggeschirr vorbeischob, war damals noch ein seltener Anblick, doch gab es viele Tage, an denen das rationierte Benzin nicht reichte und Lionel wieder aufs Rad steigen mußte.

In den frühen fünfziger Jahren war Lionels Alltag nach dem Unterricht nicht gerade typisch für einen berufstätigen Mann. Als erstes brachte er die Hefte in die winzige, zum Arbeitszimmer umfunktionierte Stube neben der Haustür und legte sie für später parat. Dies war der einzig ordentliche Raum im Haus, und es war ihm wichtig, die Arbeit vom Familienleben getrennt zu halten. Anschließend sah er nach den Kindern – Edward, Anne und Harriet gingen alle auf die Dorfschule in Northend und liefen Tag für Tag den Weg zu Fuß. Danach blieb Lionel einige Minuten bei Marjorie, ging dann in die Küche, bereitete das Abendbrot zu und räumte den Frühstückstisch ab.

Nur in diesen Minuten, kurz vor dem Abendessen, wurde aufgeräumt. Sobald die Kinder alt genug waren, packten sie mit an, wenn auch ziemlich halbherzig. Gefegt wurde nur, wo der Boden nicht mit irgendwelchem Plunder zugestellt war, und bloß die für den nächsten Tag benötigten Sachen – vor allem die Kleider und Bücher – wurden gereinigt oder bereitgelegt. Die Betten blieben ungemacht, die Laken wurden selten gewechselt, das Waschbecken im engen, eisigen Bad wurde nie geputzt – man konnte seinen Namen mit dem Fingernagel in den harten, grauen Belag einritzen. Es war schon mühselig genug, sich um das Nötigste zu kümmern – Kohle für den Küchenherd zu holen, im Winter den Kamin im Wohnzimmer nicht ausgehen zu lassen, die Kleider für die Kinder halbwegs sauberzuhalten. Wäsche wurde am Sonntagnachmittag gewaschen, und dazu mußte der Kupferkessel auf den Herd gehievt werden. An Regentagen wurden die nassen Kleider im ganzen Haus zum Trocknen über die Möbel gehängt. Bügeln überstieg Lionels Fähigkeiten – alles wurde mit der Hand geglättet und zusammengefaltet. Es gab Zeiten, in denen eine der Nachbarinnen mit anpackte, doch blieben die Frauen nie lang. Das Ausmaß der Arbeit, die auf sie wartete, war einfach zu groß; außerdem mußten sie sich um ihre eigenen Familien kümmern.

Mitten im Chaos aßen die Mayhews in der Küche an einem ausklappbaren Kieferntisch zu Abend. Der Abwasch wurde stets auf später verschoben. Nachdem alle Marjorie für das Essen gedankt hatten, ging sie ihrer Wege, während die Kinder abräumten und dann am Tisch ihre Aufgaben machten. Lionel zog sich ins Arbeitszimmer zurück, korrigierte Hefte, erledigte Schreibkram, hörte Nachrichten am Radio und rauchte dabei eine Pfeife. Etwa anderthalb Stunden später kam er dann wieder, um die Hausaufgaben zu kontrollieren und die Kinder ins Bett zu stecken. Er las ihnen jeden Abend etwas vor, für Edward andere Geschichten als für die Mädchen. Und oft schliefen sie schon ein, während er unten noch das Geschirr abwusch.

Er war ein sanftmütiger Mann mit milchblauen Augen, sandfarbenem Haar, soldatisch kurz gestutztem Schnurrbart und der kräftigen Gestalt eines Feldarbeiters. Um einberufen zu werden, war er zu alt – schon achtunddreißig bei Edwards Geburt. Lionel ohrfeigte seine Kinder nicht, schlug sie auch nicht wie die meisten Väter mit dem Riemen und wurde überhaupt nur selten laut. Er ging schlicht davon aus, daß man ihm gehorchte, und die Kinder fügten sich, vielleicht weil sie spürten, welche Verantwortung auf ihm ruhte. Trotz alledem hielten sie die Umstände für selbstverständlich, in denen sie aufwuchsen, obwohl sie oft genug woanders zu Besuch waren – in den penibel aufgeräumten Welten der freundlichen, Schürzen tragenden Mütter ihrer Freunde. Edward, Anne und Harriet bekamen nie den Eindruck, daß sie es nicht so gut wie andere hatten; Lionel litt allein unter dieser Last.

Da Edward sich nicht an die Zeit um seinen fünften Geburtstag erinnerte, in der seine Mutter sich so plötzlich verändert hatte, begann er erst ungefähr im Alter von vierzehn Jahren zu ahnen, daß mit seiner Mutter etwas nicht stimmte. Wie seine Schwestern wuchs er mit Marjories Geistesgestörtheit als einer Tatsache auf, die nicht weiter erwähnenswert schien. Seine Mutter war ein geisterhaftes Wesen, eine ausgemergelte, aber herzensgute Feengestalt mit wirrem braunem Haar, die durch das Haus wie durch ihre Kindheit spukte, mal mitteilsam und zärtlich, dann wieder entrückt und geistesabwesend. Man konnte sie zu jeder Tageszeit und manchmal auch mitten in der Nacht einfache Stücke auf dem Klavier vor sich hin klimpern hören, wobei sie immer an denselben Stellen ins Stocken geriet. Oft hielt sie sich auch im Garten auf, um in dem randlosen Beet herumzustochern, das sie mitten auf dem schmalen Rasen angelegt hatte. Ihre Malerei – am liebsten fertigte sie Aquarelle an: ferne Hügel und Kirchtürme, umrahmt von Bäumen im Vordergrund – trug nicht wenig zur allgemeinen Unordnung bei. Die Pinsel wurden nie ausgewaschen, das grünliche Wasser aus den Marmeladengläsern nicht weggekippt, sie räumte keine Farben und Lumpen fort und sammelte auch ihre diversen Entwürfe nicht wieder ein – kein Bild wurde jemals fertig. Tagelang trug sie ihren Kittel, auch wenn die Lust zu malen schon längst wieder verflogen war. Wohl seit einer früheren Beschäftigungstherapie schnitt sie gern Bilder aus Zeitschriften aus und klebte sie in ihre Sammelalben, lief dabei aber meist durch das ganze Haus und ließ überall Papierschnipsel fallen, die in den Schmutz der nackten Dielen getreten wurden. Hartgewordene Pinsel standen auf Stühlen und Fensterbrettern in offenen Kleisterdosen herum.

Zu Marjories Hobbys gehörten außerdem Stricken, Sticken, Blumenstecken und Vögelbeobachten vom Wohnzimmerfenster aus, Interessen, denen sie sich stets mit der gleichen entrückten, chaotischen

Intensität widmete. Meist war sie dabei still, nur manchmal, wenn sie etwas Schwieriges versuchte, hörte man sie vor sich hin murmeln: »Nun... nun ... nun.«

Edward kam nie auf die Idee, sich zu fragen, ob sie glücklich war. Natürlich hatte sie ihre Aktivitätsschübe, befielen sie Panikattacken, in denen ihr Atem stoßweise ging, die dünnen Arme aufgeregt flatterten und ihre ganze Aufmerksamkeit sich plötzlich auf die Kinder richtete, auf eine besondere Not, um die sie sich sofort kümmern zu müssen glaubte. Edwards Fingernägel waren zu lang, sie mußte einen Riß im Kittel stopfen, die Zwillinge brauchten ein Bad. Dann kam sie herbeigestürzt, bemutterte sie sinnlos, beschimpfte oder umarmte sie, küßte ihnen die Gesichter ab oder tat alles zugleich, als wollte sie verlorene Zeit wieder wettmachen. Fast fühlte es sich wie Liebe an, und die Kinder ließen es glücklich über sich ergehen, doch wußten sie aus Erfahrung, daß sich ihrer Mutter stets unüberwindbare Hürden in den Weg stellten – weder Nagelschere noch passender Faden konnte gefunden werden, und Wasser für die Badewanne heiß zu machen brauchte stundenlange Vorbereitung. Und bald driftete Marjorie wieder ab, zurück in ihre eigene Welt.

Vermutlich wurden diese Anfälle von einem Rest

ihrer früheren Persönlichkeit hervorgerufen, der ahnte, in welcher Verfassung sie sich befand, da er sich undeutlich an die Frau von früher erinnerte und die Kontrolle wiederzuerlangen versuchte, bis ihm mit jähem Entsetzen das wahre Ausmaß des Verlustes dämmerte. Doch die meiste Zeit wiegte sich Marjorie in der Vorstellung, einem sorgsam ausgeschmückten Märchen, daß sie eine hingebungsvolle Frau und Mutter sei und der Haushalt dank ihrer Mühen wie am Schnürchen laufe, weshalb sie, nach getaner Arbeit, ein bißchen Zeit für sich verdient habe. Und um ihre schlimmen Zustände auf ein Minimum zu reduzieren und den Bodensatz ihres einstigen Bewußtseins nicht zu alarmieren, halfen Lionel und die Kinder, diese Illusion aufrechtzuerhalten. Zu Beginn der Mahlzeiten betrachtete Marjorie das Ergebnis der Mühen ihres Mannes, hob dann den Blick, strich sich die Haare aus dem Gesicht und sagte liebevoll: »Ich hoffe, es schmeckt euch. Ich wollte mal etwas Neues ausprobieren.«

Es gab nie etwas Neues, denn Lionels Repertoire war begrenzt, doch widersprach man nicht, und artig bedankten sich Vater und Kinder bei ihr nach jeder Mahlzeit. Es war eine Scheinwelt, die sie alle tröstlich fanden. Wenn Marjorie verkündete, sie stelle eine Einkaufsliste für den Markt in Watlington zusammen oder sie habe mehr Laken zu bügeln,

als sie auch nur zählen könne, schien eine Parallel-
existenz freundlicher Normalität in Reichweite der
ganzen Familie aufzuleuchten. Dieses Phantasie-
reich hatte allerdings nur Bestand, solange niemand
daran rührte. Sie wuchsen darin auf und lebten mit
den Absurditäten, als wären sie normal.

Irgendwie schirmten sie ihre Mutter vor den
Freunden ab, die sie mit nach Hause brachten, ebenso wie sie die Freunde vor ihrer Mutter abschirm-
ten. In der Nachbarschaft war man allgemein der
Ansicht – zumindest kam ihnen nichts anderes zu
Ohren –, Mrs. Mayhew sei eine künstlerische, ex-
zentrische und charmante Person, vermutlich ein
Genie. Die Kinder fanden es auch gar nicht peinlich, ihre Mutter Sachen sagen zu hören, die offenkundig nicht stimmten. Sie hatte keinen anstren-
genden Tag vor sich und hatte auch nicht den
ganzen Nachmittag Brombeermarmelade einge-
macht. Schließlich handelte es sich dabei nicht um
Unwahrheiten, sondern um das eigentliche Wesen
ihrer Mutter, und die Kinder hatten entschieden, sie
zu schützen – stillschweigend.

Es war daher ein denkwürdiger Moment, als der
vierzehnjährige Edward allein mit seinem Vater im
Garten stand und zum ersten Mal hörte, daß seine
Mutter hirngeschädigt war. Schon das Wort war
eine Beleidigung, die blasphemische Aufforderung,

seine Solidarität mit ihr aufzugeben. *Hirngeschädigt.* Nicht ganz richtig im Kopf. Hätte jemand
anderes derartiges über seine Mutter gesagt, wäre
Edward sofort über ihn hergefallen. Doch noch
während er auf diese Verleumdung mit feindseligem
Schweigen reagierte, spürte er, wie ihm eine Last
von den Schultern fiel. Natürlich, es stimmte, und
gegen die Wahrheit ließ sich nicht ankämpfen. Er
sollte besser gleich damit anfangen, sich einzureden,
er hätte es schon immer gewußt.

An einem heißen, schwülen Tag Ende Mai stand
er mit seinem Vater unter der großen Ulme. Nach
tagelangem Regen war die Luft gesättigt vom
schwelgerischen Reichtum des Frühsommers – Vogelgesang und schwirrende Insekten, der Duft von
gemähtem Gras, das in Reihen auf der Wiese lag,
dazu das wuchernde Gestrüpp in ihrem Garten,
der hinter dem Lattenzaun fast nahtlos in die weite
Landschaft überging, und die Luft voller Pollen, die
Vater und Sohn eine Ahnung von drohendem Heu-
fieber zutrugen, während Sonnenlicht und Schatten
die sich in einem leichten Wind wiegenden Gräser wie mit einem Geflecht heller und dunkler Ka-
cheln überzogen. Edward hörte seinem Vater aufmerksam zu und versuchte, sich einen bitterkalten
Wintertag im Dezember 1944 vorzustellen, den be-
lebten Bahnsteig in Wycombe und seine Mutter,

eingemummelt in ihren Mantel, eine Tasche mit wenigen, bescheidenen Weihnachtsgeschenken in der Hand. Sie trat einen Schritt vor, während sie auf den Zug von Marylebone wartete, der sie nach Princes Risborough und weiter nach Watlington bringen sollte, wo Lionel mit dem Wagen wartete. Das Nachbarsmädchen paßte auf Edward auf.

Es gibt eine Sorte selbstgefälliger Reisender, die gern die Abteiltür öffnen, noch ehe der Zug hält, um dann mit einem kleinen Hüpfer auf den Bahnsteig zu springen und gleich weiterzueilen. Dadurch, daß ein solcher Mensch aussteigt, bevor der Zug seine Fahrt beendet hat, behauptet er möglicherweise seine Unabhängigkeit – er beweist, daß er kein bloßes Gepäckstück ist. Vielleicht will er auch seinen jugendlichen Schwung demonstrieren, oder er hat schlicht so wenig Zeit, daß jede Sekunde zählt. Der Zug bremste ab, womöglich etwas heftiger als gewöhnlich, und die Tür flog dem Reisenden aus der Hand. Die schwere Metallkante traf Marjorie Mayhew mit solcher Wucht an der Stirn, daß sie ihr den Schädel brach und ihre Persönlichkeit, Intelligenz und Erinnerung noch im selben Moment durcheinanderbrachte. Fast eine Woche lang lag sie im Koma. Der Reisende, von Augenzeugen als ein distinguiert aussehender Städter um die Sechzig beschrieben, hastete mit seinem Bowler,

Regenschirm und der Zeitung davon – die junge, mit Zwillingen schwangere Frau zwischen einigem verstreutem Spielzeug auf dem Boden hingestreckt – und verschwand für immer in den Straßen von Wycombe mitsamt seinem schlechten Gewissen, jedenfalls hoffe er das, sagte Lionel.

Dieser seltsame Moment im Garten – ein Wendepunkt in Edwards Leben – brannte eine bestimmte Erinnerung an den Vater in sein Gedächtnis ein. Lionel hielt die Pfeife in der Hand, zündete sie aber erst an, als er zu Ende erzählt hatte. Er hielt sie fest umschlossen, den Zeigefinger um den Pfeifenkopf gelegt, der Stiel knapp dreißig Zentimeter vor dem Mundwinkel in der Schwebe. Es war Sonntag, also war sein Vater unrasiert – Lionel hing keinem Glauben an, auch wenn er sich davon in der Schule nichts anmerken ließ. Diesen einen Vormittag in der Woche aber hatte er einfach gern für sich. Dadurch, daß er sich sonntags nicht rasierte – was für einen Mann seines Amtes schon recht ungewöhnlich war –, schloß er sich ganz bewußt von jeder Form von Geselligkeit aus. An diesem Sonntag trug er ein zerknittertes, weißes, nicht einmal von Hand geglättetes, kragenloses Hemd und machte einen bedächtigen, irgendwie distanzierten Eindruck – er mußte dieses Gespräch in Gedanken schon viele Male geführt haben. Beim Reden wanderte sein Blick manchmal vom Gesicht seines Sohnes zum Haus, als wollte er Marjories Zustand noch genauer heraufbeschwören oder nach den Mädchen sehen. Zum Schluß legte er Edward eine Hand auf die Schulter, eine ungewohnte Geste, und ging mit ihm die wenigen Schritte bis zum Ende des Gartens, dorthin, wo der baufällige Holzzaun unter wucherndem Unkraut verschwand. Dahinter lag eine fünf Morgen große Weide, ohne Schafe, dafür von zwei Löwenzahnstreifen überwuchert, die wie Straßen voneinander abzweigten.

Seite an Seite blieben sie stehen, während sich Lionel die Pfeife ansteckte und Edward sich mit der Anpassungsfähigkeit seines Alters von dem Schock erholte und die Wahrheit zu akzeptieren begann. Natürlich hatte er sie immer schon geahnt. Allein die Tatsache, daß er kein Wort für ihren Zustand kannte, hatte ihm seine Unschuld bewahrt. Ihm war nicht einmal der Gedanke gekommen, sie könnte in einem ›Zustand‹ sein, und doch hatte er sich gleichzeitig damit abgefunden, daß sie anders war. Der Widerspruch wurde nun durch die simple Benennung gelöst, durch die Macht der Sprache, Ungesehenes sichtbar zu machen. *Hirngeschädigt.* Der Begriff zersetzte alle Intimität und bewertete seine Mutter kühl nach öffentlichen Maßstäben, die jedermann verstand. Plötzlich tat sich eine Distanz auf, nicht allein zwischen ihm und seiner Mutter, sondern auch zwischen ihm selbst und seinen eigenen unmittelbaren Lebensumständen; er spürte, wie sein innerstes Wesen, der verborgene Kern, den er nie zuvor beachtet hatte, unvermutet eine scharf umrissene Form annahm, wie eine glühende Nadelspitze, von der niemand etwas ahnen sollte. Sie war hirngeschädigt, und er war es nicht. Er war nicht seine Mutter, auch nicht seine Familie, und eines Tages würde er gehen und nur noch als Besucher wiederkehren. Schon jetzt stellte er sich vor, dieser Besucher zu sein, der seinen Vater nach einem langen Auslandsaufenthalt wiedersah und mit ihm über das Weideland schaute, dorthin, wo sich die Löwenzahnstraßen gabelten, kurz bevor das Gelände sanft zum Wald hin abfiel. Es war ein Gefühl der Einsamkeit, mit dem er da experimentierte, und es bereitete ihm ein schlechtes Gewissen, gleichzeitig aber erregte ihn die Kühnheit seiner Gedanken.

Lionel schien zu verstehen, was seinem schweigenden Sohn durch den Kopf ging. Er versicherte Edward, er sei wundervoll zu seiner Mutter gewesen, stets freundlich und hilfsbereit, und diese Unterhaltung ändere gar nichts. Sie beweise nur, daß er nun alt genug sei, die Wahrheit zu ertragen. In diesem Augenblick kamen die Zwillinge in den

Garten gelaufen, um ihren Bruder zu suchen, und Lionel blieb gerade noch Zeit, ein weiteres Mal zu wiederholen: »Was ich dir gesagt habe, ändert nichts, absolut nichts«, ehe die Mädchen lärmend über sie herfielen und Edward zum Haus zogen, damit er sich ansah, was sie gebastelt hatten.

Dafür änderte sich damals sonst so allerhand. Er ging in Henley aufs Gymnasium und begann von verschiedenen Lehrern zu hören, daß er das Zeug zum Studieren habe. Sein Freund Simon aus Northend war auf der Realschule, genau wie die Dorfjungen, mit denen er sich herumtrieb, doch bald würden sie abgehen, um einen Beruf zu erlernen oder auf einem Hof zu arbeiten, bis sie dann eingezogen wurden. Edward hoffte auf eine andere Zukunft. Beim Zusammensein mit seinen Freunden war schon jetzt eine gewisse Verkrampftheit zu spüren, die ebenso von ihrer Seite wie von ihm ausging. Und da er jede Menge Hausaufgaben aufhatte – trotz seiner Sanftmut war Lionel in dieser Hinsicht ein wahrer Tyrann –, zog Edward nach der Schule nicht mehr mit den Jungs durch den Wald, baute keine Hütten, stellte keine Fallen mehr und ärgerte auch die Wildhüter von Wormsley Park oder Stonor Park nicht länger. Selbst eine Kleinstadt wie Henley war nicht frei von großstädtischem Dünkel, und so lernte er rasch zu verheimlichen, daß er die Namen der Schmetterlinge, Vögel und auch der Wildblumen kannte, die unterhalb ihres Hauses in dem heimeligen Tal wuchsen, das der Familie Fane gehörte – Glockenblume, Zichorie, Skabiose, Sumpfwurz, die zehn Arten Orchideen und der seltene Japanische Schneeball. Am Gymnasium würde ihn solches Wissen nur zum Hinterwäldler abstempeln.

Daß er an jenem Tag von Mutters Unfall erfuhr, änderte nach außen hin überhaupt nichts, doch die vielen winzigen Verschiebungen und Umorientierungen in seinem Leben verdichteten sich in diesem neuen Wissen. Seiner Mutter gegenüber blieb er aufmerksam und freundlich und hielt auch weiterhin die Illusion aufrecht, daß sie die Arbeit im Haus erledigte und alles, was sie sagte, der Wahrheit entsprach, doch spielte er jetzt eine Rolle, und dadurch festigte sich der neu entdeckte, harte kleine Kern seiner Persönlichkeit. Mit sechzehn hatte er eine Vorliebe für lange einsame Streifzüge entwickkelt. Außer Haus zu sein half ihm, klare Gedanken zu fassen. Oft folgte er der Holland Lane, einem eingesunkenen Feldweg, der von bemoosten Böschungen zugewuchert wurde und hinab nach Turville führte, wanderte dann durch das Hambledental zur Themse und wechselte bei Henley hinüber in die Hügellandschaft der Berkshires. Der Ausdruck »Teenager« war damals neu, weshalb Edward auch überhaupt nicht in den Sinn kam, daß die Einsamkeit, die er verspürte und ebenso schmerzhaft wie köstlich fand, noch von irgend jemand anderem geteilt werden könnte.

Ohne seinen Vater zu fragen oder ihm etwas zu sagen, trampte er an einem Wochenende während der Suezkrise nach London, um auf dem Trafalgar Square an einer Demonstration teilzunehmen. In einem Augenblick überschwenglicher Begeisterung entschied er noch am selben Tag, daß er nicht nach Oxford gehen würde, wie Lionel und all seine Lehrer es von ihm erwarteten. Die Stadt am Cherwell war ihm zu vertraut und unterschied sich gar nicht so sehr von Henley. Er wollte hierherkommen, wo ihm die Menschen beeindruckender, lauter und unberechenbarer vorkamen und die Straßen ihre Berühmtheit mit einem Achselzucken abzutun schienen. Er verschwieg sein Vorhaben, weil er nicht zu früh Widerspruch wecken wollte. Außerdem hatte er vor, sich um die Armee zu drücken, die, wie Lionel gern behauptete, ihm sicher guttun würde. Diese geheimen Pläne verstärkten noch das Gefühl, einen verborgenen Persönlichkeitskern zu haben, ein untrennbares Ineinander von Empfindlichkeiten, Sehnsüchten und kompromißlosem Egoismus. Anders als manche Jungen an der Schule schimpfte er nicht über sein Zuhause und seine Familie. Er fand die kleinen Zimmer und die Unordnung normal, und er schämte sich auch nicht für seine Mutter. Er wartete bloß voller Ungeduld darauf, daß sein eigentliches Leben, seine wahre Geschichte endlich begann, und so, wie die Dinge nun einmal lagen, würde es dazu erst kommen, wenn er sein Examen bestanden hatte. Also lernte er fleißig und schrieb gute Aufsätze, insbesondere für seinen Geschichtslehrer. Zu seinen Schwestern und Eltern blieb er freundlich, aber er hörte nicht auf, von jenem Tag zu träumen, an dem er sein Elternhaus endlich verlassen konnte, dem er eigentlich doch längst entwachsen war.

Drei

Im Schlafzimmer ließ Florence Edwards Hand los, hielt sich an einer der Baldachinsäulen aus Eiche fest und beugte sich nach rechts, dann nach links, um ihre Schuhe auszuziehen, wobei sie jedesmal anmutig eine Schulter neigte. Sie hatte die teuren Schuhe an einem verregneten Nachmittag bei Debenhams gekauft und sich dabei mit ihrer Mutter gestritten, da Violet es ungewohnt und strapaziös fand, ein Geschäft zu betreten. Die Schuhe, vorn mit einer winzigen, kunstvoll aus dunklerem Leder geflochtenen Schleife versehen, hatten flache Absätze und waren aus weichem, blaßblauem Leder. Die Braut ließ sich Zeit – noch eine ihrer Verzögerungstaktiken, durch die sie die Erwartung nur steigerte. Der verzückte Blick ihres Gatten war ihr nicht entgangen, aber im Augenblick fühlte sie sich nicht allzusehr bedrängt und auch nicht zu nervös. Der Schritt ins Schlafzimmer hatte sie in einen Zustand alptraumhafter Beklemmung versetzt, der wie ein altmodischer Taucheranzug jede Bewegung lähmte. Ihre Gedanken schienen nicht mehr ihr selbst zu gehören; es war, als pumpte man sie zu ihr hinab, Gedanken statt Sauerstoff.

Und in ebendiesem Zustand erklang in ihrem Kopf eine feierliche, schlichte Tonfolge, die sich wie ein Ohrwurm undeutlich und seltsam verschwommen ständig wiederholte und sie sogar bis ans Bett verfolgte, wo sie die Töne noch einmal zu hören meinte, während sie die Schuhe in den Händen hielt. Die vertraute Phrase, manch einer hätte sie sogar berühmt genannt, setzte sich aus vier aufsteigenden Noten zusammen, die eine zögerliche Frage zu stellen schienen. Da das Instrument aber ein Cello und nicht ihre Geige war, stammten die Töne wohl auch nicht von ihr, sondern von einem unbeteiligten Beobachter, sie bedrängten sie, ein wenig ungläubig, aber beharrlich, um nach kurzer Stille, und einer zaudernden, keineswegs überzeugenden Antwort der übrigen Instrumente, die Frage aufs neue vorzubringen, diesmal mit anderem Klang, in einer neuen Tonart, dann wieder und wieder, doch jedesmal fiel die Antwort zögernd aus. Es gab keine Worte, die Florence mit diesen Tönen verbinden konnte; es war nicht, als ob etwas gesagt werden würde. Die Aufforderung blieb ohne Inhalt, ein reines Fragezeichen.

Es war der Beginn eines Mozart-Quintetts – Anlaß für manche Auseinandersetzung zwischen Florence und ihren Freunden, denn für dieses Stück brauchten sie eine Bratsche, ihre Kommilitonen aber wollten sich keine Umstände machen. Florence ließ nicht locker, sie wollte jemanden dazuholen, und als sie eine Nachbarin aus dem Wohnheim zur Probe einlud, um gemeinsam vom Blatt zu spielen, begeisterte sich der Cellist, eitel, wie er war, für das Stück, und bald erlagen auch die übrigen Musiker seinem Zauber. Wer hätte ihm schon widerstehen können? Die Zerreißprobe aber, vor die jenes Stück zu Beginn das Ennismore-Quartett stellte, dessen Name sich übrigens von der Adresse des Wohnheims herleitete, war durch den entschlossenen Widerstand von Florence, sie allein gegen drei, wie dem Beharren auf ihrem sicheren Urteil bald überwunden.

Während sie, noch mit dem Rücken zu Edward und weiterhin auf Zeit spielend, durch das Schlafzimmer ging, um die Schuhe ordentlich an der Garderobe abzustellen, erinnerten sie diese vier Töne an jene Florence, die im Quartett den Ton angab, die kühl ihren Willen durchsetzte und sich niemals brav den Erwartungen fügte. Sie war kein Lamm, das sich klaglos abschlachten – oder penetrieren – ließ. Sie würde darüber nachdenken, was genau sie von ihrer Ehe erwartete, um es Edward dann mitzuteilen, und anschließend würden sie sich auf einen Kompromiß einigen. Was der eine ersehnte, konnte nicht auf Kosten des anderen verwirklicht werden. Es ging darum, sich zu lieben und miteinander frei zu sein. Ja, sie mußte ein Machtwort sprechen, so wie sie es bei den Proben tat, und sie würde es jetzt sofort sprechen müssen. Sie ahnte sogar schon, welchen Vorschlag sie ihm machen wollte, öffnete die Lippen und holte tief Luft. Dann aber hörte sie eine Diele knarren, drehte sich um, sah ihn auf sich zukommen, lächelnd, mit errötetem Gesicht, und die rettende Idee – als hätte sie nie ganz ihr selbst gehört – war wie weggeblasen.

Ihr schönes Kleid aus kornblumenblauem Baumwollsatin, das perfekt zu ihren Schuhen paßte, hatte sie – zum Glück ohne ihre Mutter – erst nach vielen auf den Gehwegen zwischen Regent Street und Marble Arch verbrachten Stunden entdeckt. Als Edward sie nun an sich zog, geschah das nicht, um sie zu küssen, sondern um ihren Körper an sich zu drücken, während eine Hand in ihrem Nacken nach dem Reißverschluß tastete. Die andere Hand preßte er ihr flach und fest ins Kreuz und flüsterte ihr dabei etwas ins Ohr, so laut und so nah, daß sie nur einen Schwall warmer, feuchter Luft spürte. Aber der Reißverschluß ließ sich nicht mit einer Hand öffnen, jedenfalls nicht auf den ersten zwei, drei Zentimetern. Man mußte das Kleid mit einer Hand oben festhalten und mit der anderen ziehen, da der leichte Stoff sonst Falten warf und der Reißverschluß klemmte. Florence hätte über die Schulter langen und ihm helfen können, aber ihre Arme waren eingezwängt; außerdem fand sie es nicht richtig, daß sie ihm zeigte, was er zu tun hatte. Schließlich wollte sie seine Gefühle nicht verletzen. Mit einem ungeduldigen Seufzer zog er noch fester und versuchte es mit Gewalt, hatte aber längst erreicht, daß sich der Reißverschluß weder vor noch zurück bewegen ließ. Vorläufig war sie in ihrem Kleid gefangen.

»Mein Gott, Flo, jetzt halt doch mal still.«

Gehorsam erstarrte sie, erschrocken über die Ungeduld in seiner Stimme und unwillkürlich davon überzeugt, daß sie die Schuld trug. Schließlich war es ihr Kleid, ihr Reißverschluß. Bestimmt würde es helfen, dachte sie, wenn sie sich von ihm löste, ihm den Rücken zudrehte und ans Fenster ins Licht ging. Aber das könnte gefühllos wirken, und das Problem würde dadurch eine viel zu große Bedeutung erlangen. Daheim verließ sie sich auf ihre Schwester, die trotz ihres kläglichen Klavierspiels sehr geschickte Finger hatte. Der Mutter fehlte für so etwas die Geduld. Armer Edward – an ihren Schultern spürte sie die Muskeln in seinen Armen zittern, während er beide Hände einsetzte, und sie stellte sich vor, wie seine dicken Finger zwischen gerafftem Stoff und widerspenstigem Metall herumfummelten. Er tat ihr leid, und ein bißchen fürchtete sie sich auch vor ihm. Selbst der leiseste Hinweis könnte ihn jetzt noch mehr verärgern. Also harrte sie geduldig aus, bis er sie schließlich mit einem Stöhnen freigab und einen Schritt zurücktrat.

Dabei war er ganz zerknirscht. »Tut mir leid, er klemmt. Ich stelle mich wirklich furchtbar ungeschickt an.«

»Das ist mir auch schon oft passiert, Liebling.«

Sie setzten sich nebeneinander auf das Bett. Er lächelte, um ihr zu zeigen, daß er ihr zwar nicht glaubte, ihre Bemerkung aber zu schätzen wußte. Die weit geöffneten Schlafzimmerfenster boten alle denselben Ausblick auf Hotelrasen, Gestrüpp und Meer. Dann drehte der Wind, oder die Flut setzte ein, vielleicht lag es auch am Kielwasser eines vorbeifahrenden Schiffes, jedenfalls hörten sie plötzlich, wie sich die Wellen in schnellerer Folge brachen und hart an den Strand klatschten. Ebenso unvermittelt aber ebbten sie auch wieder ab und klimperten aufs neue leise über den Kies.

Florence legte einen Arm um Edwards Schulter. »Soll ich dir ein Geheimnis verraten?«

»Ja.«

Sie griff mit Daumen und Zeigefinger nach seinem Ohrläppchen, zog seinen Kopf sanft zu sich herab und flüsterte: »Ehrlich gesagt, ich hab ein bißchen Angst.«

Strenggenommen war das nicht ganz korrekt, aber sosehr sie auch nachdachte, sie hätte die Vielzahl ihrer Empfindungen doch nie beschreiben können: ein mulmiges Gefühl, als würde sie innerlich vertrocknen und schrumpfen, ein unbestimmter Widerwille gegen das, was ihr womöglich abverlangt werden würde, sowie Scham bei dem Gedanken, ihn zu enttäuschen und als Betrügerin entlarvt zu werden. Sie konnte sich selbst nicht leiden, und noch während sie ihm ins Ohr flüsterte, war ihr, als spielten sie Theater und ein Bösewicht zischte ihm die Worte zu. Immerhin war es besser zu behaupten, sie fürchtete sich, als ihm ihre Scham oder ihren Ekel zu gestehen. Sie mußte versuchen, seine Erwartungen möglichst zu dämpfen.

Er schaute sie an, doch verriet nichts an seiner Miene, daß er sie gehört hatte. Selbst in ihrer vertrackten Lage staunte sie über seine sanft blickenden, braunen Augen. Welch verständnisvolle Klugheit. Wenn sie sich in seinen Blick versenkte und sonst nichts sah, könnte sie vielleicht tun, worum er sie bitten würde. Sie wollte ihm bedingungslos vertrauen. Doch das war bloßes Wunschdenken.

Endlich erwiderte er: »Ich glaub, ich auch«, doch während er das sagte, legte er ihr eine Hand direkt übers Knie, ließ sie unter den Kleidersaum gleiten und drang auf der Innenseite ihres Schenkels nach oben vor, bis sein Daumen das Höschen berührte. Ihre Beine waren nackt, die glatte Haut gebräunt vom Sonnen im Garten, vom Tennisspiel mit ihren Freundinnen auf den Plätzen in Summertown und den zwei langen Picknicknachmittagen mit Edward auf den blumenübersäten Hügeln oberhalb des hübschen Dörfchens Ewelme, wo Chaucers Enkelin begraben liegt. Sie hörten nicht auf, sich in die Augen zu sehen – darin waren sie gut. Florence spürte seine Berührung so deutlich, die Wärme und den Druck seiner verschwitzten Hand auf ihrer Haut, daß sie sich den langen, gekrümmten Daumen im bläulichen Dämmer unter ihrem Kleid vorstellen, daß sie ihn *sehen* konnte, wie er da lag, geduldig wie ein Rammbock vor den Stadtmauern, der kurzgeschnittene Nagel, der über die cremefarbene, vom Gummizug leicht gekräuselte Seide fuhr und sogar – das wußte sie genau, sie konnte es deutlich spüren – ein vorwitziges, gekräuseltes Haar berührte.

Mit aller Kraft versuchte sie zu verhindern, daß ein Muskel in ihrem Bein zitterte, aber es geschah ganz ohne ihr Zutun, von allein, so unvermeidlich und unwillkürlich wie ein Niesanfall. Er tat nicht weh, wie er sich da zusammenzog und in milden

Krämpfen zuckte, dieser verräterische Muskel, und doch fühlte sie sich von ihm im Stich gelassen und begann zum ersten Mal, das wahre Ausmaß ihres Problems zu erahnen. Edward mußte den kleinen Sturm unter seiner Hand gespürt haben, denn seine Augen weiteten sich, und seine hochgezogenen Brauen, die lautlos geöffneten Lippen verrieten ihr, daß er beeindruckt war und fast ein wenig einschüchternd fand, was er für den Aufruhr ihrer Begierde hielt.

»Flo...?« Er sprach ihren Namen vorsichtig aus, leiser und dann wieder lauter werdend, so als wollte er sie beschwichtigen oder verhindern, daß die Dinge sich überstürzten. Er hatte nämlich selbst einen kleinen Sturm zu bändigen. Sein Atem ging flach und unregelmäßig, und immer wieder löste er mit leise schmatzendem Laut die Zunge vom Gaumen.

Manchmal ist es beschämend, wie wenig der Körper die Gefühle verheimlichen kann oder will. Wer hätte schon jemals aus Anstandsgründen den Herzschlag zu verlangsamen vermocht oder ein Erröten verhindert? Der eigenwillige Muskel zuckte und flatterte wie eine unter der Haut gefangene Motte. Ein ähnliches Problem hatte Florence manchmal mit ihren Augenlidern. Aber vielleicht legte sich der Aufruhr ja bald wieder, sie war sich da nicht sicher. Es half jedenfalls, sich auf das Wesentliche zu konzentrieren, und so machte sie sich mit blöder Deutlichkeit klar: Seine Hand war dort, weil er ihr Mann war; und sie ließ sie dort, weil sie seine Frau war. Einige ihrer Freundinnen – Greta, Hermione, vor allem Lucy – wären schon seit Stunden nackt im Bett und hätten die Ehe lang vor der Hochzeit lautstark und mit Freuden vollzogen. Wohlmeinend und großzügig, wie sie waren, glaubten sie, Florence habe genau dies ebenfalls längst getan. Dabei hatte sie ihnen nie etwas vorgemacht, sie allerdings auch nie eines Besseren belehrt. Bei dem Gedanken an ihre Freundinnen aber trat ihr das eigene Schicksal deutlich vor Augen: Sie war allein.

Edwards Hand rückte nicht weiter vor – was von ihm ausgelöst worden war, hatte ihn sicher entmutigt –, sie fuhr nur leicht auf und ab und knetete ihren Oberschenkel. Vermutlich war das der Grund, weshalb die Krämpfe nachließen, doch sie achtete kaum noch darauf. Es mußte ein Zufall sein, denn wie konnte er wissen, daß, während seine Hand ihr Bein befingerte, die Daumenspitze gegen jenes einsame Haar stieß, das unter dem Gummiband ihres Höschens hervorlugte, es vor und zurück wippen ließ, seine Wurzel erregte und entlang des Haarbalgnervs die bloße Ahnung eines Gefühls weckte, ein fast abstrakter Anfang, so unendlich klein wie ein geometrischer Punkt, der zu einem winzigen Fleck anschwoll, dessen Ränder immer weiter zerflossen. Sie zweifelte und verleugnete noch, was ihr passierte, als sie längst spürte, wie sie sich ihrer Empfindung überließ, sich ihr innerlich entgegenbog. Wie konnte eine einzelne Haarwurzel den ganzen Körper beherrschen? Im steten Rhythmus seiner liebkosenden Hand breitete sich die Empfindung von jenem einzelnen Punkt über ihre ganze Haut aus, ihren Bauch, bis hinab zum Perineum. Das Gefühl war ihr nicht gänzlich unvertraut – irgend etwas zwischen Schmerz und Juckreiz, nur sanfter, wärmer und auch leerer; eine angenehm schmerzliche, von einem rhythmisch erregten Haarbalg ausgehende Leere, die sich in konzentrischen Wellen über ihren Körper ausbreitete und stetig tiefer vordrang.

Zum ersten Mal verknüpfte sich ihre Liebe zu Edward mit einem eindeutig körperlichen Gefühl, so unabweisbar wie Höhenangst. Zuvor hatte sie nur einen tröstlichen Eintopf aus warmen Emotionen gekannt, eine dicke Winterdecke aus Freundlichkeit und Vertrauen. Das war ihr immer genug und als solches schon wie ein Erfolg vorgekommen. Nun aber spürte sie endlich den Beginn eines Verlangens, präzise und fremd, doch eindeutig ihr ureigenes Empfinden; und außerdem, als schwebte

sie über und gleich hinter ihr, knapp außer Sicht-
weite, war da die Erleichterung, weil sie nun genau
wie alle anderen war. Als spätentwickelte Vierzehnjährige, die verzweifelt registrierte, daß all ihren
Freundinnen Brüste wuchsen, während sie selbst
noch wie eine großgewachsene Neunjährige aussah,
hatte sie an jenem Abend vor dem Spiegel einen
ähnlichen Augenblick der Offenbarung erlebt, als
sie zum ersten Mal um ihre Brustwarzen eine neue,
kompakte Schwellung ertastete. Wäre ihre Mutter
unten nicht mit den Vorbereitungen für eine Spi-
noza-Vorlesung beschäftigt gewesen, hätte Florence vor Freude laut gejubelt. Es ließ sich nicht
leugnen: Sie gehörte keiner separaten Subspezies
der menschlichen Rasse an. Triumphierend kehrte
sie in den Schoß der Allgemeinheit zurück.

Florence sah ihm immer noch in die Augen. Reden kam offenbar nicht mehr in Frage, also tat sie,
als geschähe nichts – als wäre seine Hand nicht
unter ihrem Kleid, kitzelte sein Daumen nicht ein
einzelnes Schamhaar und machte sie keine über-
wältigende sinnliche Erfahrung. Hinter Edwards
Kopf sah sie einen Ausschnitt ihrer unmittelbaren
Vergangenheit – die offene Tür, den Eßtisch vor
dem Balkon und die Reste des fast unberührten
Abendessens –, doch ließ sie den Blick nicht wei-
terwandern. Trotz des angenehmen Gefühls und

ihrer Erleichterung blieb eine Besorgnis, eine hohe Mauer, die sich nicht so leicht einreißen ließ. Das hatte sie auch nicht vor. Denn ungeachtet aller neuen Erfahrung befand sie sich keineswegs in einem Zustand wilder Hemmungslosigkeit, wollte auch nicht Hals über Kopf in einen solchen getrieben werden. Sie wollte ihn auskosten, diesen Moment in der Schwebe, wollte, vollständig bekleidet, Edwards sanft blickende, braune Augen genießen, seine behutsamen Zärtlichkeiten und dieses sich ausbreitende, angenehme Gefühl. Aber sie wußte, das war nicht möglich, denn eines würde, wie man so sagte, unweigerlich zum anderen führen.

Edwards Gesicht schien immer noch ungewöhnlich rot, die Pupillen waren geweitet, die Lippen offen, der Atem ging flach wie zuvor, schnell und unregelmäßig. Die Woche Hochzeitsvorbereitung, die überspannte Enthaltsamkeit, machte der Chemie seines jungen Körpers zu schaffen. Florence war so außergewöhnlich, so unwiderstehlich, daß er einfach nicht wußte, was er tun sollte. Dunkel schimmerte im schwindenden Licht das blaue Kleid, das er ihr nicht ausziehen konnte, auf dem straffen weißen Überwurf. Als er ihren Schenkel berührte, fand er die Haut erstaunlich kühl, was ihn überraschend stark erregte. Und während er Florence nun in die Augen sah, war ihm, als stürze er ihr in einem schwindelerregenden Strudel entgegen, doch fühlte er sich gleichzeitig gefangen zwischen dem Drängen seiner Lust und der Last seiner Unwissenheit. Wenn er von ein paar Filmen, Witzen und überspitzten Anekdoten einmal absah, stammte fast alles, was er über Frauen wußte, von Florence selbst. Das Beben unter seiner Hand mochte ein verräterisches Zeichen sein, von dem jeder ihm hätte sagen können, was es bedeutete und wie er darauf reagieren mußte, möglicherweise war es sogar ein Vorbote des weiblichen Orgasmus. Doch ebensogut konnten auch ihre Nerven schuld sein. Er wußte es einfach nicht, und so war er erleichtert, als das Zucken wieder verebbte. Ihm fiel ein, wie er einmal einem Bauern vorgeprahlt hatte, was er alles könne, und sich dann bei Ewelme auf einem riesigen Kornfeld am Steuer eines Mähdreschers wiedergefunden und nicht gewagt hatte, irgendeinen Hebel zu berühren. Er kannte sich einfach zu wenig aus. Einerseits war sie es gewesen, die ihn an der Hand ins Schlafzimmer geführt, die ihre Schuhe so schwungvoll ausgezogen und seine Hand dann so nahe an sich herangelassen hatte. Andererseits aber wußte er aus mühselig erworbener Erfahrung, wie schnell eine ungestüme Bewegung seine Chancen zunichte machen konnte. Dann wiederum wurden ihre kühnen Züge so sanft, während seine Hand blieb, wo sie war, und ihren Schenkel knetete, verengten sich die Augen und öffneten sich aufs neue so weit, als sie nach seinem Blick suchte und den Kopf in den Nacken legte, daß seine Vorsicht doch sicher völlig absurd war. Seine Zauderei schien ihm einfach verrückt. Sie waren verheiratet, Herrgott noch mal, und sie ermutigte ihn, drängte ihn, sehnte sich danach, daß er die Führung übernahm. Trotzdem konnte er die Erinnerungen an jene Augenblicke nicht vergessen, in denen er die Zeichen mißverstanden hatte, am schlimmsten damals im Kino, als *Bitterer Honig* lief und Florence von ihrem Platz aufgesprungen war, um wie eine verschreckte Gazelle in den Mittelgang zu flüchten. Allein diesen Fehler wieder auszubügeln hatte Wochen gedauert – ein Desaster, das er nicht noch einmal heraufbeschwören wollte, und er bezweifelte, daß eine vierzigminütige Hochzeitszeremonie einen derart gewaltigen Unterschied machte.

Die Luft im Zimmer kam ihm so dünn vor, als wäre kaum welche vorhanden, jeder Atemzug verlangte eine bewußte Kraftanstrengung. Ihn überfiel ein nervöses Gähnen, das er mit gerunzelter Stirn und bebenden Nasenflügeln rasch unterdrückte, denn Florence sollte bloß nicht glauben, er langweile sich. Er litt entsetzlich darunter, daß in ihrer

Hochzeitsnacht nicht alles glatt lief, obwohl sie sich doch so sehr liebten; und sein Gefühlschaos aus Erregung, Unwissenheit und Unentschlossenheit schien ihm dermaßen gefährlich, daß er sich selbst nicht über den Weg traute. Er war nämlich durchaus in der Lage, sich dumm und ziemlich unbeherrscht zu benehmen, konnte gelegentlich sogar richtig ausrasten, weshalb er bei seinen Studienfreunden als einer jener stillen Typen galt, die zu unberechenbaren Wutausbrüchen neigten. Seinem Vater zufolge hatte er schon als kleines Kind spektakuläre Tobsuchtsanfälle gehabt. Und auch während der Schulzeit und später im College hatte er so manches Mal die hemmungslose Freiheit eines Faustkampfs genossen. Bei den Schulhofrangeleien, um die krakeelende Kinder einen Zuschauerring bildeten, den fast feierlichen Zweikämpfen auf einer Waldlichtung nahe beim Dorf oder später bei irgendwelchen Prügeleien vor einem Pub mitten in London genoß Edward die erregende Ungewißheit des Kampfes und entdeckte dabei eine kurzentschlossene Seite an sich, die er aus seinem sonst so ruhigen Leben nicht kannte. Er selbst beschwor nie derartige Situationen herauf, doch kam es dazu, kostete er sie aus – die Anwürfe, Freunde, welche die Streitenden zurückzuhalten versuchten, das Einnehmen der Kampfhaltung, den blanken Zorn seines Gegners. Er wurde dann wie taub, schien Scheuklappen zu tragen und fand sich unvermittelt in einem Reich vergessener Lust wieder, einem wiederkehrenden Traum. Wie bei einem studentischen Trinkgelage überfiel ihn der Jammer erst hinterher. Er war kein großartiger Boxer, dafür aber verwegen, was die Einsätze in die Höhe trieb. Außerdem war er stark.

Florence hatte noch nie erlebt, wie es war, wenn er einen Koller bekam, und er dachte auch nicht daran, mit ihr darüber zu reden. Seit achtzehn Monaten war er in keine Prügelei mehr geraten, seit Januar 1961 nicht mehr, dem vorletzten Trimester. Der Vorfall war etwas ungewöhnlich gewesen, da Edward zwar als erster handgreiflich geworden war, aber doch einen Anlaß dazu gehabt und sich im Recht gefühlt hatte. Er lief mit Harold Mather, einem Kommilitonen, die Old Compton Street entlang zum French Pub in der Dean Street. Es war noch früh am Abend; sie kamen gerade aus der Bibliothek in der Malet Street und wollten sich mit einigen Freunden treffen. In Edwards Gymnasium wäre Mather das ideale Opfer gewesen – er war klein, kaum einsfünfundsechzig, trug eine dicke Brille im komisch zerknautschten Gesicht, redete unentwegt und war unglaublich schlau. An der Universität schien er in seinem Element und genoß hohes Ansehen. Er hatte eine große Plattensammlung mit Jazzmusik, gab ein Literaturmagazin heraus, und die Zeitschrift *Encounter* hatte eine Kurzgeschichte von ihm angenommen, wenn auch noch nicht veröffentlicht; im Debattierklub war er zum Schreien komisch und ein ziemlich guter Imitator – so konnte er Macmillan nachmachen, Gaitskell, Kennedy, Chruschtschow mit Phantasierussisch, ein paar afrikanische Stammesführer und Komiker wie Al Read und Tony Hancock. Er ahmte ihre Stimmen nach, spielte Sketche aus *Beyond the Fringe* und galt als der mit Abstand beste Student im historischen Seminar. Edward rechnete es sich als Fortschritt in seinem Leben an, als Beweis seiner neuen Reife, daß er die Freundschaft mit einem Mann schätzte, dem er früher wohl aus dem Weg gegangen wäre.

An einem Winterabend mitten in der Woche war in Soho am frühen Abend noch nicht viel los. Die Kneipen waren voll, die Klubs hatten noch nicht geöffnet, die Bürgersteige waren leer. Das Paar, das ihnen auf der Old Compton Street entgegenkam, war kaum zu übersehen. Rocker – er ein großer Kerl Mitte Zwanzig mit langen Koteletten, Nietenlederjacke, in engen Jeans und Stiefeln; seine pummelige Freundin, die sich bei ihm untergehakt hatte, war ähnlich angezogen. Ohne auch nur innezuhalten, holte der Mann im Vorbeigehen mit dem Arm aus und hieb Mather die flache Hand auf den Hinterkopf, so daß Edwards Freund ins Taumeln geriet und seine Buddy-Holly-Brille quer über die Straße flog. Es war ein beiläufiger Schlag voller Verachtung für Mathers Körpergröße, sein studentisches Aussehen oder dafür, daß er jüdisch aussah und auch Jude war. Vielleicht wollte der Rocker sein Mädchen beeindrucken oder es zum Lachen bringen. Edward blieb jedenfalls nicht stehen, um darüber nachzudenken. Während er dem Paar hinterherlief, hörte er Harold etwas wie »Nein« oder »Tu's nicht« rufen, aber das war genau die Art Bitte, für die er jetzt taub war. Er befand sich wieder in jenem Traum und hätte Mühe gehabt, seinen Zustand zu beschreiben: Die Wut verselbständigte sich und steigerte sich bis zur Ekstase. Mit der Rechten griff er dem Mann an die Schulter und wirbelte ihn herum, mit der Linken packte er ihn am Hals und schleuderte ihn gegen die Wand. Der Kopf schlug mit einem befriedigenden Krachen an ein gußeisernes Fallrohr. Immer noch den Hals seines Gegners umklammernd, schlug Edward ihm ins Gesicht, einmal nur, aber mit der ganzen Kraft seiner geballten Faust. Dann ging er zurück und half Mather, die Brille zu suchen; eines der Gläser hatte einen Sprung. Sie gingen weiter und ließen den Rocker auf dem Bürgersteig sitzen, beide Hände vor dem Gesicht; seine Freundin kümmerte sich um ihn.

Erst am Abend fiel Edward auf, daß Harold Mather sich nicht einmal bei ihm bedankt hatte, danach bemerkte er sein Schweigen, zumindest ihm gegenüber, und er brauchte noch länger, ein oder zwei Tage, um zu begreifen, daß sein Freund nicht nur mißbilligte, was er getan hatte, schlimmer noch, es war ihm peinlich. Im Pub erzählten sie ihren Freunden nichts von dem Vorfall, und auch später sollte Mather nie mit Edward darüber reden. Vorwürfe wären eine Erleichterung gewesen. Ohne viel Aufhebens darum zu machen, zog Mather sich zurück. Sie sahen sich zwar noch in Gesellschaft, und Mather benahm sich ihm gegenüber auch nicht direkt abweisend, doch wurde ihre Freundschaft nie mehr wie zuvor. Edward litt schrecklich bei dem Gedanken, daß Mather sein Verhalten offenbar abstoßend gefunden hatte, doch fehlte ihm der Mut, ihn darauf anzusprechen. Außerdem sorgte Mather dafür, daß sie nie wieder alleine waren. Anfangs dachte Edward, er habe Mathers Stolz verletzt, als er Zeuge jener Demütigung wurde, die er noch verschlimmert hatte, indem er sich als Rächer und harter Bursche aufspielte, was Mather wie einen verletzlichen Schwächling dastehen ließ. Erst später verstand Edward, daß sich einfach nicht gehörte, was er getan hatte, und er schämte sich noch mehr. Prügeleien vertrugen sich nicht mit Lyrik und Ironie, mit Bebop oder Geschichte. Er hatte gegen die Benimmregeln verstoßen. Er war nicht der, für den er sich gehalten hatte. Was ihm wie ein interessanter Charakterzug vorgekommen war, eine ungeschliffene Eigenart, fand man vulgär. Er war vom Land, ein Provinzheini, der glaubte, ein Schlag mit der bloßen Faust könnte einen Freund beeindrukken. Die Erkenntnis tat weh, und er durchlebte eine jener Erfahrungen, die so typisch für die frühe Erwachsenenzeit sind. Er mußte feststellen, daß neue Maßstäbe galten und er es vorzog, nach ihnen beurteilt zu werden. Seither hatte Edward um jede Schlägerei einen Bogen gemacht.

Und jetzt, in seiner Hochzeitsnacht, traute er sich selber nicht. Er fürchtete, er würde sich wieder aufführen, als wäre er taub und halb blind, als hüllte ihn der winterliche Nebel auf Turville Heath ein und verdeckte die neuerworbene, die kultivierte Seite seiner Persönlichkeit. Mehr als anderthalb Minuten saß er nun schon neben Florence, die Hand unter ihrem Kleid, und streichelte ihren Schenkel. Sein quälendes Verlangen steigerte sich ins Unerträgliche, und er fürchtete seine eigene zügellose Ungeduld, die unbeherrschten Worte oder Taten, die sie auslösen mochte, was den Abend zerstören würde. Er liebte Florence, aber jetzt hätte er sie gern wachgerüttelt, ihr mit einem Klaps die stocksteife Notenständerhaltung ausgetrieben, ihre bildungsbürgerliche Tugendhaftigkeit, damit sie sah, wie einfach es doch eigentlich war – grenzenlose sinnliche Freiheit erwartete sie, dem Greifen nahe und vom Priester abgesegnet – *mit meinem Leib verehre ich dich* –, eine sudelige, selige, nacktleibige Freiheit, die sich in seiner Erwartungsfreude wie eine riesige Kathedrale gen Himmel erhob, verfallen vielleicht, ohne Dach, das Fächergewölbe nach oben offen, damit sie in inniger Umarmung schwerelos entschweben, einander besitzen und in Fluten atemloser, rückhaltloser Ekstase ertrinken konnten. Es war so einfach! Warum befanden sie sich nicht dort oben, statt hier unten zu sitzen und an all dem zu ersticken, was sie nicht sagen durften oder nicht zu sagen wagten?

Und was stand ihnen im Weg? Ihr Charakter und ihre Vergangenheit, Unwissen und Furcht, Schüchternheit und Prüderie, innere Verbote, mangelnde Erfahrung oder fehlende Lockerheit, und dann noch der Rattenschwanz religiöser Verbote, ihre englische Herkunft, ihre Klassenzugehörigkeit und die Geschichte selbst. Also nicht gerade wenig. Er nahm die Hand fort, zog Florence an sich, hielt seine Zunge im Zaum und küßte sie so sittsam auf die Lippen, wie er nur konnte. Sanft drückte er sie auf das Bett, bis ihr Kopf auf seinem Arm wie auf einem Kissen ruhte, drehte sich seitwärts, abgestützt auf demselben Arm, und schaute auf sie hinab. Das Bett ächzte klagend, sobald sie sich bewegten, eine Erinnerung an andere Flitterwöchner, die hier genächtigt hatten und bestimmt viel geschickter gewesen waren. Bei dem Gedanken an die würdevoll beeindruckende Warteschlange, die sich bis auf den Flur erstreckte, bis nach unten zum Empfang und noch weiter zurück durch die Zeit, mußte er ein unwillkürliches Grinsen unterdrükken. Es war wichtig, nicht an sie zu denken; Lachen wirkte wie erotisches Gift. Außerdem durfte er den Gedanken nicht zulassen, daß Florence womöglich außer sich war vor Angst, sonst würde er sich gar nichts mehr trauen. Willig lag sie in seinen Armen, den Blick auf seine Augen geheftet, das Gesicht entspannt, die Miene schwer zu deuten. Ihr Atem ging so stetig und ruhig, als würde sie schlafen. Er flüsterte ihren Namen und sagte noch einmal, daß er sie liebte, und sie blinzelte, öffnete die Lippen, um ihm zuzustimmen oder um seine Worte zu erwidern. Mit der freien Hand begann er, ihr Höschen auszuziehen. Sie verkrampfte sich, wehrte ihn aber nicht ab und hob, ein wenig zumindest, ihr Gesäß. Erneut der traurige Laut der Matratzenfedern, vielleicht auch des Bettgestells, fast wie das Blöken eines Osterlamms. Selbst wenn er die freie Hand weit ausstreckte, konnte er unmöglich ihren Kopf in seiner Armbeuge liegen lassen und gleichzeitig den Schlüpfer über die Knie bis zu den Knöcheln hinunterziehen. Sie half ihm, indem sie die Beine anzog. Ein gutes Zeichen. Er wagte nicht, es noch einmal mit dem Reißverschluß zu versuchen, deshalb mußte der BH – blaßblaue Seide, hatte er gesehen, hübsch mit Spitze verziert – vorläufig bleiben, wo er war. So viel zur nacktleibigen, schwerelosen Umarmung. Doch Florence war schön, wie sie da lag, ihr Kopf auf seinem Arm, einige wilde Strähnen aufgefächert auf dem Überwurf, das Kleid über die Schenkel hochgeschoben. Eine Sonnenkönigin. Wieder küßten sie sich. Ihm war schlecht vor lauter Verlangen und Unentschlossenheit. Um sich ausziehen zu können, würde er diese vielversprechende Anordnung ihrer Körper stören und damit riskieren müssen, daß er den Bann brach. Die kleinste Veränderung, ein Zusammentreffen von Zufällen, winzige Zephire des Zweifels, und Florence könnte sich anders entscheiden. Doch glaubte er fest daran, daß es ordinär wäre, wenn sie zum ersten Mal miteinander schliefen und er dazu nur seinen Reißverschluß öffnete, ordinär und unsinnig. Und unhöflich.

Also wich er kurz von ihrer Seite und zog sich rasch am Fenster aus, in respektvollem Abstand, um das Bett frei von solchen Banalitäten zu halten. Mit den Füßen streifte er die Schuhe, mit raschen Daumenstößen die Socken ab. Er merkte, daß sie ihn nicht ansah, sondern den Blick nach oben auf den durchhängenden Betthimmel gerichtet hielt. Sekunden später war er nackt bis auf Hemd, Schlips und Armbanduhr. Das Hemd, das seine Erektion wie ein verhülltes Denkmal halb hervorhob, halb verbarg, schien irgendwie zu der von ihr vorge-gebenen Kleiderordnung zu passen. Der Schlips war ganz offensichtlich absurd, und er riß ihn sich, während er zu ihr zurückging, mit der einen Hand vom Hals, um danach mit der anderen den ober-sten Hemdknopf zu öffnen. Es war eine vertraute, selbstbewußte Geste, und einen Augenblick lang sah er wieder das Bild vor sich, das er einmal von sich gehabt hatte: ein etwas ruppiger, letztlich aber grundanständiger und fähiger Kerl, dann verblaßte es wieder. Der Geist von Harold Mather machte ihm noch immer zu schaffen.

Florence beschloß, sich nicht aufzurichten oder ihre Stellung zu verändern; sie blieb auf dem Rücken lie-gen und starrte die keksfarbene, gefältelte, von Säu-len getragene Tuchbahn an, die wohl das alte England steinkalter Schlösser und höfischer Liebe heraufbeschwören sollte. Sie konzentrierte sich auf die Webfehler, auf einen grünen münzgroßen Fleck – wie war er dort hingekommen? – und auf einen losen, im Windhauch flatternden Faden. Sie versuchte angestrengt, nicht an die unmittelbare Zukunft zu denken, auch nicht an die Vergangenheit, und sie stellte sich vor, wie sie sich an diesen Moment klammerte, an die kostbare Gegenwart, als wäre sie eine im Seil hängende Bergsteigerin, die das Gesicht in den Stein drückt, sich an die Felswand preßt und sich nicht zu rühren wagt. Kühle Luft fächelte angenehm über ihre nackten Beine. Sie lauschte den fernen Wellen, dem Schrei der Heringsmöwen und Edward, der sich auszog. Und dann drängte sich die Vergangenheit, die so undeutlich erinnerte Vergangenheit, doch noch zu ihr vor. Es war der Meergeruch, der alles heraufbeschwor. Sie war zwölf Jahre alt, lag reglos wie jetzt, wartete nackt und zitternd in einer schmalen Koje aus lackiertem Mahagoni. Ihr Kopf war leer; sie fühlte, daß sie Schande über sich brachte. Nach zweitägiger Überfahrt lagen sie wieder einmal im ruhigen Hafen von Carteret vor Anker, südlich von Cherbourg. Es war spät am Abend, und ihr Vater zog sich im Zwielicht der engen Kabine aus, genau wie Edward es gerade tat. Wieder hörte sie das Rascheln seiner Kleider, das

Klirren, mit dem der Gürtel geöffnet wurde, das klimpernde Kleingeld, einen Schlüsselbund. Sie aber mußte die Augen geschlossen halten und an eine Melodie denken, die ihr gefiel, an irgendeine Melodie. Wieder überkam sie der süßliche Geruch von halbvergammelten Lebensmitteln in einem stickigen Schiff nach rauher Überfahrt. Auf jedem Segeltörn wurde ihr viele Male schlecht, weshalb sie für ihren Vater an Bord keine große Hilfe war, und deshalb hatte sie sich wohl immer so sehr geschämt.

Ebensowenig gelang es ihr, die unmittelbare Zukunft zu verdrängen. Sie hoffte, daß bei dem, was ihr nun bevorstand, jenes angenehme, sich warm ausbreitende Gefühl von vorhin wieder aufkommen, daß es wachsen, sie überwältigen, ihre Angst betäuben und sie von aller Schande erlösen würde. Doch es schien ihr unwahrscheinlich. Die Erinnerung an ihre Empfindung, daran, wie es sich von innen anfühlte, war schon wieder zu einer trockenen historischen Tatsache verkümmert. Das war einmal gewesen, so wie die Schlacht bei Hastings. Dennoch, sie hatte nur diese eine Chance, und die war kostbar wie hauchzartes antikes Kristallglas, äußerst zerbrechlich und ein weiterer guter Grund, sich nicht zu bewegen.

Sie spürte, wie die Matratze nachgab und das Bett bebte, als Edward sich zu ihr legte und sein Gesicht statt des Baldachins über ihr auftauchte. Willig hob sie den Kopf, damit er den Arm erneut wie ein Kissen darunterschieben konnte. Dann zog Edward sie an sich, und sie konnte in die Dunkelheit seiner Nasenlöcher spähen, erkannte im linken ein einzelnes gekrümmtes Haar, das wie ein alter, gebeugter Mann vor einer Grotte stand und bei jedem Ausatmen zitterte. Ihr gefielen die stark ausgeprägten Linien der wie ein Schild geformten Kerbe über der Oberlippe. Rechts von der Nase war ein rosiger Fleck, ein winziger, aufgewölbter Nadelkopf, der Beginn oder der verblassende Überrest eines Pickels. An ihrer Hüfte spürte sie seine Erektion, pochend, hart wie ein Besenstiel, doch zu ihrer eigenen Verwunderung machte ihr das nichts aus. Nur hinsehen, das wollte sie nicht, jetzt jedenfalls noch nicht.

Um ihr Wiederbeisammensein zu besiegeln, senkte er den Kopf, und sie küßten sich, wobei seine Zunge nur flüchtig ihre Zungenspitze streifte, wofür sie ihm dankbar war. Unten im Aufenthaltsraum war es still geworden – kein Radio mehr, keine Gespräche –, also flüsterten sie ihr »Ich liebe dich«. Auch wenn sie noch so leise miteinander redeten, beruhigte sie das, diese nie versagende, sie verbindende Formel, und das allein bewies gewiß, wie ähnlich ihre Bestrebungen waren. Florence fragte sich, ob sie es nicht doch schaffen könnte, ob sie nicht stark genug sein und so überzeugend wirken könnte, daß sie später, bei nachfolgenden Gelegenheiten, die Angst durch bloße Vertrautheit zu bezwingen vermochte, bis es ihr schließlich gelang, echte Lust zu empfinden und auch zu schenken. Er brauchte nie davon zu erfahren, jedenfalls nicht, bis sie es ihm wie eine lustige Geschichte aus der Geborgenheit ihres neuen Vertrauens heraus erzählte – von jener Zeit damals, als sie noch ein unwissendes Mädchen war und grausig unter ihren dummen Ängsten litt. Schon machte es ihr nichts aus, daß er ihre Brüste berührte, obwohl sie früher zurückgezuckt wäre. Noch gab es für sie also Hoffnung, und bei diesem Gedanken schmiegte sie sich enger an seine Brust. Sicher hatte er das Hemd anbehalten, weil die Kondome in der oberen Tasche steckten und er sie so leichter erreichen konnte. Seine Hand glitt an ihrem Körper herab und zog den Saum wieder über ihre Taille hoch. Er hatte sich stets über die Mädchen ausgeschwiegen, mit denen er ins Bett gegangen war, aber sie zweifelte keinen Augenblick an seiner reichen Erfahrung. Durch das offene Fenster wehte eine sommerliche Brise herein und kitzelte ihr entblößtes Schamhaar. Sie hatte sich schon zu weit auf fremdes Terrain vorgewagt, um noch umkehren zu können.

Florence war nie auf den Gedanken gekommen, das Vorspiel ihrer Liebe könnte wie eine Pantomime in solch intensiver, angespannter Stille ablaufen. Doch was wußte sie außer den drei offensichtlichen Worten schon zu sagen, das nicht dumm und falsch klang? Und da er stumm blieb, nahm sie an, es müsse wohl so sein. Trotzdem wäre es ihr lieber, sie flüsterten sich alberne Liebesschwüre zu, so wie damals, als sie in ihrem Schlafzimmer in Nordoxford vollständig angezogen auf dem Bett gelegen und den Nachmittag vertändelt hatten. Florence mußte ihn nah bei sich spüren, sonst ließ sich die dämonische Angst nicht unterdrücken, die sie zu überwältigen drohte. Sie mußte wissen, daß er bei ihr war, an ihrer Seite, daß er sie nicht mißbrauchte, daß er ihr Freund war, liebevoll und zärtlich. Sonst könnte dies auch auf ganz schreckliche Weise schiefgehen. Sie brauchte es einfach, daß er ihr nicht nur seine Liebe, sondern auch ein Gefühl der Sicherheit gab, weshalb sie die alberne Bitte schließlich doch noch aussprechen mußte: »Erzähl mir was.«

Die unmittelbare und angenehme Wirkung war, daß seine Hand abrupt nahe der Stelle verharrte, an der sie zuvor gelegen hatte, nur wenige Zentimeter unter ihrem Bauchnabel. Er schaute auf sie herab, und seine Lippen zitterten ein wenig – bestimmt die

Nerven oder der Beginn eines Lächelns, eines Gedankens, der nach Worten suchte.

Zu ihrer Erleichterung griff er das Stichwort auf und begann mit ihrem vertrauten, albernen Spiel. Feierlich erklärte er: »Du hast ein hübsches Gesicht und einen wunderbaren Charakter, deine Fersen sind sexy, deine Ellbogen, dein Schlüsselbein und dein Putamen auch, und du hast ein Vibrato, das alle Männer vergöttern, doch du gehörst mir allein, und ich bin deshalb sehr froh und stolz.«

Sie sagte: »Nun gut, du darfst mein Vibrato küssen.«

Er nahm ihre linke Hand, saugte abwechselnd an ihren Fingerspitzen und fuhr mit der Zunge über die schwieligen Kuppen der Violinistin. Sie küßten sich, doch genau in dem Augenblick, in dem Florence zuversichtlicher wurde, spürte sie, wie er die Arme anspannte und sich mit einer geschickten, sportlichen Bewegung auf sie rollte, so daß sie, obwohl sein Gewicht vor allem von den Ellbogen und seinen links und rechts von ihrem Kopf abgestützten Unterarmen aufgefangen wurde, hilflos und ein wenig atemlos unter ihm eingeklemmt lag und sich kaum rühren konnte. Sie war enttäuscht, weil er sich nicht die Zeit genommen hatte, noch einmal ihre Scham zu streicheln und dieses eigenartige, warme Gefühl auszulösen. Doch im Augenblick kümmerten sie weder Angst noch Abscheu, ein Fortschritt also, da sie nur darauf bedacht war, den Anschein zu wahren und Edward nicht zu enttäuschen, sich nicht zu blamieren, nicht als schlechte Wahl unter all den Frauen zu gelten, die er bestimmt gekannt hatte. Sie wollte durchhalten. Und sie würde ihm nie erzählen, wie schwer es ihr fiel, ja welch große Überwindung es sie kostete, äußerlich so ruhig zu wirken. Sie kannte kein anderes Verlangen, als ihn zufriedenzustellen und diese Nacht zu einem Erfolg werden zu lassen; sie hatte auch keine andere Empfindung, spürte nur, wie seine seltsam kühle Penisspitze wiederholt nach ihrem Unterleib stocherte und gegen ihre Harnröhre stieß. Ihre Panik und ihren Ekel meinte sie unter Kontrolle zu haben, sie liebte Edward, und all ihre Anstrengungen waren nur darauf gerichtet, ihm zu dem zu verhelfen, was er sich so sehnlich wünschte, damit er sie dafür um so mehr liebte. Mit diesen Gedanken schob sie die rechte Hand zwischen seine und ihre Leistengegend, und er stützte sich etwas auf, um sie durchzulassen. Florence war stolz darauf, im richtigen Moment daran gedacht zu haben, daß ihr rotes Handbuch erklärte, es sei der Braut durchaus gestattet, den Mann »in sich einzuführen«.

Als erstes berührte sie seinen Hodensack und schlang, jetzt ganz frei von Angst, die Finger sanft um dieses seltsam haarige Etwas, das sie in ähnlicher Form von Hunden und Pferden kannte, auch wenn sie bislang nie recht geglaubt hatte, daß derlei an erwachsenen Menschen vorkam. Sie strich über die Beutelunterseite bis zur Wurzel seines Penis, den sie sehr behutsam in die Hand nahm, da sie keine Ahnung hatte, wie empfindlich oder robust er war. Sie fuhr an ihm entlang, bemerkte mit Interesse, wie seidig er sich anfühlte, wanderte zur Spitze hinauf, die sie sanft streichelte, und kehrte dann, über die eigene Kühnheit erstaunt, ein Stück zurück, um ihn etwa in seiner Mitte fest in den Griff zu nehmen und nach unten zu ziehen, noch eine kleine Korrektur, und schon fühlte sie, wie er ihre Schamlippen berührte.

Woher hätte sie wissen sollen, welchen schrecklichen Fehler sie beging? Hatte sie an der falschen Stelle gezogen? Zu fest zugepackt? Edward gab einen Klagelaut von sich, eine komplizierte Folge gequälter, ansteigender Vokale, ein Geräusch, wie sie es in einer Komödie mal von einem Kellner gehört hatte, der im Zickzack durch den Saal getaumelt war und jeden Moment einen Stapel Suppenteller fallen zu lassen drohte.

Erschrocken ließ sie Edward los, über dessen muskulösen Rücken Krämpfe zuckten, als er sich mit verblüffter Miene aufbäumte und Stoß um Stoß über sie ergoß, kraftvoll, doch in abnehmender Menge, ihren Nabel füllte, Bauch und Schenkel benetzte und ihr einen Teil der lauwarmen, klebrigen Flüssigkeit bis ans Kinn und auf die Knie spritzte. Es war eine Katastrophe, und sie wußte sofort, daß sie die Schuld trug, daß sie unfähig, dumm und unwissend war. Sie hätte sich nicht einmischen, hätte dem Handbuch nie glauben dürfen. Wäre seine Schlagader geplatzt, hätte es kaum schlimmer sein können. Wie typisch für sie, sich derart selbstherrlich in solch komplizierte Dinge einzumischen; sie hätte doch wissen müssen, daß die Haltung, die sie bei den Proben des Streichquartetts an den Tag legte, hier nun wirklich nicht angebracht war.

Aber da war noch etwas viel Schlimmeres, etwas, das sich ihrer Kontrolle entzog und Erinnerungen heraufbeschwor, die sie schon lange von sich abgetrennt hatte. Noch vor einer halben Minute war sie stolz darauf gewesen, ihre Gefühle im Griff zu haben und nach außen so ruhig zu wirken, doch jetzt war sie nicht mehr in der Lage, ihren tiefsitzenden Ekel zu unterdrücken, ihr dunkles Grauen davor, von einem anderen Körper mit Flüssigkeit bespritzt, mit Schleim überzogen zu werden. In der Meeresbrise fühlte sich sein Sekret auf ihrer Haut sekundenschnell eiskalt an, und doch schien sie, genau wie sie es geahnt hatte, davon verbrüht zu werden. Nichts in ihrem Wesen hätte den unwillkürlichen Schrei des Abscheus verhindern können. Das Gefühl, wie der Schleim in dicken Rinnsalen über die Haut rann, seine fremdartige, milchige Konsistenz, der aufdringliche Geruch nach Stärke, der die Ausdünstung eines beschämenden, in den muffigen Keller der Erinnerung eingesperrten Geheimnisses heraufbeschwor – sie konnte nicht anders, sie mußte das Zeug einfach loswerden. Kaum wich Edward zurück, drehte sie sich um, ging auf die Knie, zerrte ein Kissen unter dem Überwurf hervor und begann, sich in panischer Hast abzuwischen. Doch noch während sie damit beschäftigt war, wußte sie, wie gräßlich sie sich aufführte, wie ungehörig sie sich benahm und daß es Edwards Elend gewiß noch verschlimmerte, wenn er sah, wie sie verzweifelt versuchte, sich diesen Teil seiner Natur von ihrer Haut zu wischen. Dabei war das gar nicht so einfach. Das Zeug klebte an ihr und verschmierte bloß, verhärtete teilweise bereits zu einer von Sprüngen durchzogenen Glasur. Sie war zwei Wesen zugleich – die Frau, die verzweifelt das Kissen zu Boden warf, und jene andere, die ihr zusah und sie dafür haßte. Sie fand es unerträglich, daß Edward sie nicht aus den Augen ließ, diese unausstehliche, hysterische Frau, die er törichterweise geheiratet hatte. Und sie hätte ihn hassen können für das, was er jetzt von ihr mitbekam und bestimmt nie wieder vergaß. Sie mußte von ihm weg.

In einem Anfall von Scham und Wut sprang sie vom Bett, während die andere, die sie beobachtende Florence, ihr zwar nicht in Worten, doch in ruhigem Ton mitteilte, daß es so nun mal eben sei, wenn man verrückt wurde. Sie konnte Edward nicht ansehen. Mit jemandem im selben Zimmer zu sein, der sie derart außer sich erlebt hatte, war die reinste Folter. Sie schnappte sich ihre Schuhe, lief durch das Vorzimmer, vorbei an den Überresten ihres Abendessens und auf den Flur hinaus, die Treppe hinunter, durch den Haupteingang, um das Hotel herum und über den moosigen Rasen. Selbst als sie endlich den Strand erreichte, hörte sie nicht auf zu rennen.

Vier

In dem knappen Jahr zwischen der ersten Begegnung mit Florence an der St. Giles Street und
ihrer Hochzeit in der kaum einen Kilometer davon entfernt gelegenen Kirche St. Mary war Edward
oft über Nacht zu Gast in der großen viktorianischen Villa abseits der Banbury Road gewesen. Violet Ponting hatte ihm jenen Raum im Dachgeschoß
zugewiesen, der in der Familie allgemein nur die
»kleine Kammer« genannt wurde, in züchtiger Entfernung vom Zimmer ihrer Tochter, dafür mit Blick
auf einen ummauerten, fast hundert Meter langen
Garten und das dahinter gelegene College-Gelände
– oder waren es die Ländereien eines Altenheims?
Er hatte nie herauszufinden versucht, worum es sich
nun genau handelte. Die »kleine Kammer« war größer als jedes Schlafzimmer bei ihm zu Hause in
Turville Heath, wahrscheinlich sogar größer als das
Wohnzimmer dort. Ein schlichtes, weiß gehaltenes
Regal mit den Loeb-Ausgaben lateinischer und
griechischer Klassiker nahm eine ganze Wand ein.
Edward gefiel es, das Zimmer mit solch strenger
Gelehrsamkeit zu teilen, doch wußte er, daß er kei-
nem etwas vormachte, wenn er Bücher von Epiktet

oder Strabo auf dem Nachttisch liegenließ. Wie überall sonst im Haus waren die Wände hier exotisch weiß gestrichen – im gesamten Anwesen der Pontings gab es keinen Fitzel Tapete, weder mit Streifen noch mit Blümchenmuster –, und der Boden bestand aus nackten, rohen Dielen. Er hatte den Dachstock ebenso für sich allein wie das geräumige Bad auf halber Treppe mit seinen viktorianischen Buntglasfenstern und den lackierten Korkfliesen, letztere ebenfalls neu und ungewohnt.

Sein Bett war breit und überraschend hart. In einer Ecke unter der Dachschräge standen ein blankgescheuerter Holztisch mit Gelenkleuchte und ein blaugestrichener Küchenstuhl. Es gab weder Bilder noch Teppiche, keine Nippes, keine Papierschnipsel und auch sonst keine Überbleibsel irgendwelcher Freizeitbeschäftigungen. Zum ersten Mal in seinem Leben kümmerte er sich hin und wieder um ein bißchen Ordnung, denn dies war ein Zimmer, wie er noch keines gekannt hatte, eines, in dem man ruhige, klare Gedanken fassen konnte. Hier schrieb er an einem sternenklaren Novemberabend gegen Mitternacht auch jenen Brief an Violet und Geoffrey Ponting, in dem er ihnen mitteilte, daß er ihre Tochter zu heiraten beabsichtige, und er fragte nicht einmal um ihre Erlaubnis, so sicher rechnete er mit ihrer Zustimmung.

Er hatte sich nicht geirrt. Sie schienen erfreut und feierten die Verlobung mit einem Festmahl für die ganze Familie im Randolph-Hotel. Edward war so unerfahren, daß es ihn nicht weiter überraschte, wie willkommen er im Haushalt der Pontings war. In höflicher Bescheidenheit nahm er an, als fester Freund von Florence und später dann als ihr Verlobter stünde es ihm zu, daß sein Zimmer, wenn er von Henley herübertrampte oder mit dem Zug nach Oxford fuhr, stets für ihn bereit war, daß es gemeinsame Mahlzeiten gab, bei denen seine Ansichten über die Regierung und die Weltlage gefragt waren, und ihm die Bibliothek ebenso zur freien Verfügung stand wie der Garten mit Krocketfeld und eigenem Federballplatz. Er war dankbar, aber auch nicht sonderlich erstaunt, als man sich im Haus um seine Wäsche zu kümmern begann und dank des Hausmädchens regelmäßig ein ordentlich gebügelter Kleiderstapel am Fußende des Bettes bereitlag.

Es schien daher auch nur folgerichtig, daß Geoffrey Ponting ihn zum Tennis auf einem der Grasplätze in Summertown einlud. Edward war in diesem Sport eher mittelmäßig – sein Aufschlag, bei dem ihm seine Körpergröße zunutze kam, war ganz passabel, und manchmal konnte er von der Grundlinie einen harten Ball plazieren, dafür aber war er am Netz ungelenk und einfallslos und durfte sich

auch nicht auf seine unberechenbare Rückhand verlassen, weshalb er die Bälle auf der linken Platz-
hälfte lieber umlief. Er fürchtete sich ein wenig
vor dem Vater seiner Freundin, hatte Angst, er
könnte für einen Eindringling gehalten werden,
einen Hochstapler und Dieb, der es auf die Jung-
fräulichkeit seiner Tochter abgesehen hatte und als-
bald wieder verschwinden wollte – was nur zum
Teil stimmte. Als sie zum Platz fuhren, machte sich
Edward außerdem um das Spiel Sorgen – zu gewinnen wäre unhöflich, aber er würde seinem Gast-
geber auch bloß die Zeit stehlen, wenn er nicht in
der Lage wäre, ihm anständig Paroli zu bieten. Dabei hätte er sich keine Gedanken zu machen brauchen. Ponting spielte in einer anderen Liga, schlug
schnell und präzise und tänzelte für einen Fünf-
zigjährigen erstaunlich ausdauernd über den Platz.
Den ersten Satz gewann er sechs-eins, den zweiten
sechs-null, den dritten sechs-eins, verblüffend aber
war seine Wut, sooft es Edward gelang, ihm einen
Punkt abzuluchsen. Auf dem Weg zur Grundlinie
hielt Ponting sich dann leise fluchend eine Straf-
predigt, die, soweit Edward das von seiner Seite aus
verstehen konnte, auch Gewaltandrohungen gegen
die eigene Person enthielt. Manchmal hieb Ponting
sich sogar mit dem Schläger auf die rechte Hinter-
backe. Er wollte nicht bloß gewinnen, auch nicht

nur haushoch, er wollte jeden einzelnen Punkt. Die zwei Spiele, die sein künftiger Schwiegervater im ersten und dritten Satz verlor, sowie die wenigen Fehler, die ihm unterliefen, ließen Geoffrey Ponting vor Wut fast aus der Haut fahren: Um Himmels willen, Mann! Jetzt mach schon! Noch auf der Rückfahrt war er angespannt, doch gab er Edward so das Gefühl, mit dem knapp einen Dutzend Punkte, die er in den drei Sätzen gewonnen hatte, wenigstens einen kleinen Triumph errungen zu haben. Hätte Edward den Vater seiner Freundin regelrecht besiegt, hätte er dessen Tochter wohl nie wiedersehen dürfen.

Trotz seines nervösen, aufbrausenden Charakters zeigte sich Geoffrey Ponting dem Gast gegenüber außerordentlich zuvorkommend. Wenn er um sieben Uhr von der Arbeit kam und Edward im Haus war, mixte er ihnen an seiner kleinen Hausbar einen Gin Tonic – zu gleichen Teilen Tonic und Gin, dazu jede Menge Eiswürfel. Eis in einem Drink war für Edward etwas Neues. Dann setzten sie sich in den Garten und redeten über Politik – meist lauschte Edward nur den Ansichten seines künftigen Schwiegervaters über den Verfall der britischen Wirtschaft, das Kompetenzgerangel der Gewerkschaften und den Irrsinn, afrikanische Kolonien in die Freiheit zu entlassen. Selbst wenn Ponting saß, kam er nicht zur Ruhe – er kippelte auf der Sesselkante, bereit, jederzeit wieder aufzuspringen, wippte beim Reden mit den Knien oder bewegte die Zehen in den Sandalen zu einem Rhythmus, der offenbar in seinem Kopf widerhallte. Er war deutlich kleiner als Edward, dafür aber kräftiger gebaut, die muskulösen Arme überzog ein blonder Pelz, den er gern zur Schau stellte, indem er sogar zur Arbeit kurzärmelige Hemden trug. Selbst seine Kahlköpfigkeit schien eher Beweis seiner Potenz als verräterisches Anzeichen seines Alters zu sein – glatt und straff wie ein geblähtes Segel spannte sich die gebräunte Haut über den großen Schädel. Auch das Gesicht war groß, dafür aber hatte er kleine, wulstige Lippen, deren Ruhestellung ein trotziges Schmollen zu sein schien, eine Knopfnase und weit auseinanderstehende Augen, weshalb er in bestimmtem Lichteinfall wie ein Riesenfötus aussah.

Florence schien sich ihrem Gartenplausch nie anschließen zu wollen, vielleicht mochte Ponting sie auch nicht dabeihaben. Soweit Edward wußte, redeten Vater und Tochter nur selten miteinander, und wenn, dann höchstens in Gesellschaft und immer bloß über Belanglosigkeiten. Allerdings hatte er den Eindruck, als belauerten sie einander, und ihm war, als würden sie, wenn andere redeten, insgeheim Blicke austauschen. Ponting legte Ruth ständig den Arm um die Schultern, ihre ältere Schwester aber hatte er in Edwards Beisein noch nie liebevoll berührt. Vielmehr ließ er im Gespräch erfreulich zahlreiche Bemerkungen wie »du und Florence« oder »ihr jungen Leute« fallen. Und die Nachricht von ihrer Verlobung versetzte ihn in weit größeren Aufruhr als etwa Violet, weshalb er höchstpersönlich das Essen im Randolph-Hotel bestellte, bei dem er mindestens ein halbes Dutzend Trinksprüche auf das Paar ausbrachte. Flüchtig, doch ohne ihm Gewicht beizumessen, kam Edward der Gedanke, daß Ponting es fast ein wenig zu eilig damit hatte, seine Tochter fortzugeben. Etwa zu derselben Zeit wies Florence ihren Vater auch darauf hin, daß Edward durchaus ein Gewinn für die Firma sein könnte.

An einem Samstag morgen fuhr Ponting ihn im Humber zu seiner am Stadtrand von Witney gelegenen Fabrik, wo irgendwelche wissenschaftlichen, mit Transistoren gespickte Geräte entworfen und hergestellt wurden. Ein heimeliger Geruch nach Lötblei begleitete sie, während sie durch ein Gewirr von Werkbänken gingen, und Ponting schien es überhaupt nichts auszumachen, daß Edward, den bei Technik und Naturwissenschaften stets ein lähmendes Gefühl überkam, keine einzige interessierte Frage stellte. Sein künftiger Schwiegersohn lebte erst wieder auf, als sie sich in einem fensterlosen Hinterzimmer mit dem kahlköpfigen, neunundzwanzig Jahre alten Verkaufsleiter trafen, der in Durham seinen Abschluß in Geschichte gemacht und eine Doktorarbeit über mittelalterliches Klosterleben in Nordostengland geschrieben hatte. Später bot Ponting ihm dann bei einem Gin Tonic an, für seine Firma auf Reisen zu gehen und einen neuen Kundenstamm aufzubauen. Er würde sich über die Produkte informieren, ein klein wenig über Elektronik lernen und ein winziges bißchen über Vertragsrecht wissen müssen. Edward, der noch keine festen Berufspläne hatte und sich gut vorstellen konnte, zwischen Geschäftstreffen in Zügen und Hotelzimmern Geschichtsbücher zu schreiben, sagte zu, wenn auch eher aus Freundlichkeit als aus tatsächlichem Interesse.

Einige Aufgaben, die Edward freiwillig übernahm, banden ihn noch enger an die Pontings. In jenem Sommer des Jahres 1961 mähte er viele Male die großen Rasenflächen – der Gärtner war krank –, hackte drei Klafter Holz für den Schuppen, fuhr immer wieder irgendwelches Gerümpel aus der ungenutzten Garage, in der Violet einen Teil der Bibliothek unterbringen wollte, mit dem Zweitwagen, einem Austin 35, zur Mülldeponie und chauffierte mit demselben Auto – den Humber durfte er nie benutzen – Ruth, die jüngere Schwester, zu Freundinnen und Kusinen in Thame, Banbury oder Stratford und holte sie auch wieder ab. Außerdem erledigte er für Violet manchen Fahrdienst, brachte sie einmal sogar zu einem Schopenhauer-Symposion nach Winchester und wurde unterwegs wegen seines Interesses an Tausendjährigen Reichen ins Kreuzverhör genommen. Trieben Hunger und gesellschaftliche Umbrüche solchen Bewegungen die Anhänger in die Arme? Ließen sich diese Bewegungen in ihrem Antisemitismus und ihrer Kritik an Kirche und Kaufmannschaft als Frühformen eines Sozialismus russischer Prägung verstehen? Und ebenso provokant: War der Atomkrieg nicht das moderne Äquivalent zur Apokalypse im Buch der Offenbarung? Mußten uns aufgrund unserer Geschichte und unserer schuldigen Natur nicht immer Visionen von Massenvernichtung plagen?

Nervös begann er zu reden; er wußte, daß er einer Prüfung unterzogen wurde. Während er antwortete, fuhren sie durch die Außenbezirke von Winchester. Am Rand seines Blickfeldes nahm er wahr, daß sie ein Döschen hervorgeholt hatte und sich das spitze, weiße Gesicht puderte. Ihn faszinierten ihre blassen Besenstielarme mit den kantigen Ellbogen, und ihm schoß einen Moment lang die Frage durch den Kopf, ob sie wirklich die Mutter von Florence sein konnte. Doch dann mußte er sich nicht nur auf das Fahren, sondern auch darauf konzentrieren, was er sagte. Er glaube, erklärte er, der Unterschied zwischen damals und heute sei wichtiger als jede Ähnlichkeit. Und dieser Unterschied sei der zwischen den grausigen, absurden Phantasievorstellungen eines Mystikers der Nacheisenzeit einerseits, die im Mittelalter von christlichen Gesinnungsgenossen noch ausgeschmückt wurden, sowie der begründeten Angst vor einem möglichen und schrecklichen Ereignis andererseits, das zu verhindern in unserer Macht liege.

Im Ton eines scharfen Verweises, mit dem sie jede weitere Diskussion unterband, sagte Violet, er habe sie offenbar nicht verstanden. Es gehe nicht darum, ob mittelalterliche Mystiker sich hinsichtlich der Offenbarung und des Weltuntergangs geirrt hätten. Natürlich hatten sie das, entscheidend sei vielmehr, daß sie leidenschaftlich an ihrem Irrglauben festgehalten und dementsprechend gehandelt hatten. Gleichermaßen glaube er, Edward, ernsthaft daran, daß Atomwaffen die Welt zerstören könnten, und handle dementsprechend. Dabei sei es irrelevant, daß er sich täusche, da diese Waffen letztlich einen Krieg verhinderten. Das sei ja der Sinn der Abschreckung. Als Historiker wisse er doch bestimmt, daß Massenwahn über die Jahrhunderte immer wieder ähnliche Formen annehme. Kaum hatte Edward begriffen, daß sie die Anti-Atom-Gruppe mit einer apokalyptischen Sekte verglich, enthielt er sich höflich jedes weiteren Kommentars, und die letzten Kilometer legten sie schweigend zurück. Ein andermal brachte er Violet nach Cheltenham, wo sie Abiturientinnen im Ladies College über die Vorzüge einer in Oxford gewonnenen höheren Bildung aufklärte.

Mit seiner eigenen Fortbildung ging es rasch voran. Während jenes Sommers aß er zum ersten Mal Salat mit einem Öl-Zitronen-Dressing, zum Frühstück ein Joghurt – eine exotische Substanz, die er bislang nur aus einem James-Bond-Roman kannte. Die Kochkünste seines überforderten Vaters und das Pommes-und-Pasteten-Regime seiner Studientage hatten ihn auch nicht auf jenes seltsame Gemüse vorbereitet – auf Auberginen, rote und grüne Paprika, Zucchini und Zuckererbsen –, das ihm jetzt regelmäßig vorgesetzt wurde. Er war überrascht, fast ein wenig verärgert, als Violet ihm bei seinem ersten Besuch als Vorspeise eine Schüssel noch halbroher Erbsen servierte. Und er mußte seine Abneigung gegen Knoblauch überwinden, weniger gegen den Geschmack als gegen dessen schlechten Ruf. Als er ein Baguette ein Croissant nannte, kicherte Ruth, bis sie schließlich aus dem Zimmer geschickt wurde. Zuvor hatte er die Pontings beeindruckt, als er erklärte, er habe England noch nie verlassen, von einem Ausflug nach Schottland einmal abgesehen, wo er auf der Halbinsel Knoydart die drei Munros bestiegen hatte. Zum ersten Mal in seinem Leben probierte er Müsli, Oliven, frischgemahlenen schwarzen Pfeffer, Brot ohne Butter, Sardellen, nur kurz angebratenes Lamm, anderen Käse als Cheddar, Ratatouille, Salami, Bouillabaisse, ganze Mahlzeiten ohne Kartoffeln und – die größte Herausforderung – eine rosige, fischig riechende Paste namens Tarama salata. Vieles schmeckte leicht ekelig und irgendwie gleich, doch war er fest entschlossen, keinen unkultivierten Eindruck zu machen. Manchmal aber wurde ihm fast übel, wenn er das Essen allzu rasch in sich hineinschlang.

Einige dieser Neuerungen gefielen ihm auf Anhieb: frischgemahlener Filterkaffee, Orangensaft zum Frühstück, Confit de canard, frische Feigen. Er konnte ja nicht ahnen, welche Ausnahmestellung die Pontings einnahmen, eine Oxforder Universitätsprofessorin, verheiratet mit einem erfolgreichen Geschäftsmann; dazu kam, daß Violet zeitweilig mit der bekannten Kochbuchautorin Elizabeth David befreundet gewesen war, weshalb sich in ihrem Haushalt gewissermaßen die Morgenröte einer kulinarischen Revolution zeigte – falls sie ihren Studenten nicht gerade Vorträge über Leibniz' Monaden oder den kategorischen Imperativ hielt. Edward registrierte diese häuslichen Umstände, ohne den exotischen Überfluß wahrhaben zu wollen. Er nahm an, daß es für Universitätsdozenten normal war, so zu leben, und er hätte sich nie die Blöße gegeben, allzu beeindruckt zu wirken.

Dabei war er wie verzaubert und kam sich vor, als lebte er in einem Traum. Sein Verlangen nach Florence war in jenem warmen Sommer untrennbar mit der Kulisse verknüpft – den hohen, weißen Räumen und ihren staubfreien, vom Sonnenlicht erwärmten Holzböden, der kühlen Luft, die durch die offenen Fenster aus dem grünen Garten hereinwehte, den duftenden Blüten und den frisch ausgepackten Bücherstapeln in der Bibliothek – der neue Roman von Iris Murdoch, einer Freundin Violets, der neue Nabokov, der neue Angus Wilson –, aber auch mit dem ersten Stereoplattenspieler seines Lebens. Florence zeigte ihm eines Morgens die nackten, orange glühenden, aus einem eleganten, grauen Gehäuse ragenden Verstärkerröhren mitsamt den dazugehörigen hüfthohen Boxen und legte für ihn dann in voller Lautstärke Mozarts *Haffner Sym-*

phonie auf. Die kühne Klarheit des Oktavsprungs gleich zu Beginn – ein ganzes Orchester tat sich vor ihm auf – riß ihn dermaßen mit, daß er eine Faust hob und Florence, ohne einen Gedanken daran, wer ihn außer ihr hören konnte, laut zurief, er liebe sie. Das hatte er noch nie gesagt, weder ihr noch sonst jemandem. Still wiederholte sie seine Worte und lachte vor Freude, weil er sich endlich einmal für klassische Musik begeisterte. Er lief durch das Zimmer auf sie zu und wollte mit ihr tanzen, doch die Musik wurde so schnell und aufgewühlt, daß sie abrupt stehenblieben, sich umarmten und von den Klängen umtosen ließen.

Wie hätte er sich vormachen können, daß dies nach seinem beengten Leben keine außergewöhnlichen Erfahrungen waren? Doch es gelang ihm, einfach nicht weiter darüber nachzudenken. Seinem Wesen nach war er kein sonderlich grüblerischer Mensch, und da er sich mit einer Dauererektion in ihrem Haus aufhielt – zumindest kam es ihm so vor –, waren seine Gedanken ohnedies eher begrenzt und ziemlich träge. Die unausgesprochenen Gesetze des Hauses erlaubten es ihm, sich tagsüber, während Florence Geige spielte, auf ihrem Bett zu fläzen, jedenfalls solange die Tür offenstand. Eigentlich sollte er lesen, aber er mußte sie einfach ansehen und ihre nackten Arme bewundern, ihr Stirnband, den geraden Rücken, das so anmutig geneigte Kinn, unter das sie ihr Instrument klemmte, die Kontur ihrer Brüste im Gegenlicht, den Schwung, mit dem der Saum ihres Baumwollkleides im Takt des Geigenbogens über ihre sonnengebräunten Beine wippte, und wie die kleinen Muskeln unter der Haut ihrer Waden zuckten, wenn sie sich zur Musik wiegte. Hin und wieder seufzte sie wegen irgendeines vermeintlich unsauberen Tons, einer Phrasierung, und sie wiederholte die Passage, einmal und noch einmal. Die Art, wie sie die Notenblätter umschlug, zeigte gleichfalls ihre Stimmung an: ob sie sich mit einer heftigen Bewegung ihres Handgelenks ein neues Stück vornahm, beim Umblättern noch dem Gespielten nachhing oder voller Erwartungsfreude nach dem neuen Stück griff. Ihn erregte, ja faszinierte, daß sie ihn vergessen konnte – sie besaß die Gabe völliger Konzentration, während er manchmal den ganzen Tag in einem Dämmerzustand zwischen Langeweile und Erregung verbrachte. Eine Stunde konnte so vergehen, ehe ihr wieder einzufallen schien, daß er noch da war, doch auch wenn sie sich umdrehte und ihn anlächelte, legte sie sich kaum je zu ihm aufs Bett – ausgeprägter Ehrgeiz oder eine der Hausregeln fesselten sie an ihren Notenständer.

Sie gingen auf der Port Meadow spazieren, die

Themse hinauf, um ein Glas Bier im *Perch* oder der *Trout*-Bar zu trinken. Wenn sie nicht über ihre Gefühle redeten – Edward wurde diese Gespräche allmählich leid –, unterhielten sie sich darüber, was sie in ihrem Leben erreichen wollten. Edward berichtete ausführlich von der Serie kurzer Biographien, die er fast in Vergessenheit geratenen Persönlichkeiten widmen wollte, die für einen Moment an der Seite großer Männer gestanden oder ihren eigenen flüchtigen Augenblick im Rampenlicht der Geschichte erlebt hatten. Er schilderte ihr Sir Robert Careys wilde Jagd nach Norden, seine Ankunft am Hofe von König James, das Gesicht blutüberströmt nach einem Sturz vom Pferd – und wieso ihm all seine Mühen letztlich nichts eingebracht hatten. Im Anschluß an sein Gespräch mit Violet hatte Edward im übrigen beschlossen, auch einen von Norman Cohns mittelalterlichen Heilsbringern aus der Zeit um 1360 in seine Reihe aufzunehmen, einen Messias und Flagellanten, dessen Ankunft, so wurde es jedenfalls von ihm und seinen Anhängern behauptet, in Jesajas Prophezeiungen vorhergesagt worden war. Jesus galt nur als ein Vorläufer, der neue Erlöser dagegen war König der Letzten Tage, ja Gott selbst. Seine Geißlerschar war ihm auf sklavische Weise ergeben und betete ihn an. Er hieß Konrad Schmid und wurde 1368 von der

Inquisition verurteilt, vermutlich zum Tode auf dem Scheiterhaufen; danach hatte sich seine riesige Anhängerschaft in alle Winde zerstreut. Edward malte sich aus, daß jedes Buch nicht länger als zweihundert Seiten sein sollte und von Penguin Books mit Illustrationen publiziert werden würde; und wenn die Reihe erst komplett war, käme sie in einem Schuber heraus.

Florence weihte ihn natürlich ebenso in ihre Pläne für das Ennismore-Quartett ein. Erst in der letzten Woche waren sie in ihrem früheren College gewesen, um ihrem Tutor Beethovens *Rasumovsky* von Anfang bis Ende vorzuspielen, und er war begeistert gewesen. Er hatte ihnen rundheraus gesagt, daß sie eine große Zukunft erwarte, weshalb sie unter allen Umständen zusammenbleiben und äußerst hart an sich arbeiten sollten. Er sagte, sie sollten ihr Repertoire begrenzen und sich auf Haydn, Mozart, Beethoven und Schubert konzentrieren, sich Schumann, Brahms und die übrigen Komponisten des zwanzigsten Jahrhunderts hingegen für später aufheben. Florence gestand Edward, daß sie sich kein anderes Leben wünschte, daß sie den Gedanken nicht ertrüge, in den hinteren Reihen irgendeines Orchesters alt zu werden, falls sie dort denn überhaupt je einen Platz bekäme. Die Arbeit mit dem Quartett sei so intensiv, die Anforderungen an ihre

Konzentration so ungeheuerlich, jeder Spieler quasi ein Solist und die Musik so wunderbar und komplex, daß sie jedesmal, wenn sie ein Stück spielten, etwas Neues daran entdeckten.

Sie erzählte ihm das, obwohl sie wußte, wie wenig ihm klassische Musik bedeutete. Wenn es nach ihm ginge, hörte man sie am besten leise im Hintergrund, ein vage dahinplätscherndes Tröten, Kratzen und Wimmern, das für gewöhnlich Ernst, Reife und auch Respekt vor der Vergangenheit signalisieren sollte, obwohl es für sich genommen völlig uninteressant war. Florence hoffte trotzdem, sein Triumphschrei zu Beginn der *Haffner Symphonie* sei ein Durchbruch gewesen, und lud ihn deshalb ein, nach London zu einer ihrer Proben zu kommen. Er nahm bereitwillig an – natürlich wollte er sie bei der Arbeit sehen, doch lag ihm noch mehr daran herauszufinden, ob Charles, dieser Cellist, den Florence einige Male zu oft erwähnt hatte, womöglich ein Rivale war. Falls ja, fand Edward es durchaus angebracht, ein wenig Präsenz zu zeigen.

Da in der Wigmore Hall im Sommer kaum Konzerte stattfanden, hatte man dem Quartett nebenan im Gebäude für den Klavierverkauf einen Proberaum zu einem symbolischen Preis überlassen. Florence und Edward trafen vor den übrigen Musikern ein, um die Wigmore Hall in Ruhe zu besichtigen. Edward fand, daß weder der Grüne Salon noch die winzige Garderobe und selbst Konzertsaal und Kuppelgewölbe nicht erklären konnten, warum Florence diesen Ort derart verehrte. Sie war so stolz auf ihre Wigmore Hall, als hätte sie das Gebäude selbst entworfen. Florence ging mit ihm auf die Bühne und bat ihn, sich vorzustellen, welche Aufregung und Angst man empfinden mußte, wenn man hier vor einem kritischen Publikum auftrat. Er konnte es nicht, aber das verschwieg er ihr. Sie erklärte ihm, eines Tages würde es soweit sein, sie habe sich geschworen, daß das Ennismore-Quartett auf dieser Bühne auftreten, herrliche Musik spielen und triumphieren werde. Er liebte sie für dieses feierliche Versprechen, küßte sie, sprang in den Zuhörerraum, lief drei Reihen nach hinten, blieb genau in der Mitte stehen und schwor ihr, daß er, was immer auch geschehen möge, an jenem Tag hier sein werde, genau an diesem Platz, 9c, und am Ende werde er als erster in Applaus ausbrechen und den Chor der Bravorufe anführen.

Als die Probe begann, saß Edward still in einer Ecke des kahlen Raumes, von tiefem Glück erfüllt. Er stellte fest, daß Verliebtheit kein unveränderlicher Zustand war, sondern ihn in immer neuen Wogen oder Wellen, wie gerade jetzt, erfaßte. Der Cellist, den es sichtlich nervös machte, daß Florence einen festen Freund hatte, war ein Wackelpudding von einem Kerl, ein Stotterer mit Pickeln im Gesicht, weshalb Edward Mitleid mit ihm empfinden und ihm sogar großzügig seine sklavische Fixierung auf Florence vergeben konnte, denn er ließ sie ebensowenig aus den Augen wie Edward selbst. Florence wiederum geriet vor Glück fast in Trance, sobald sie mit ihren Freunden arbeitete. Sie legte ihr Stirnband an, und während Edward darauf wartete, daß sie zu spielen begannen, hing er seinen Träumen nach, die sich nicht bloß um Sex mit Florence drehten, sondern auch um Ehe und Familie und um die Tochter, die sie womöglich einmal haben würden. Sicher war es ein Zeichen von Reife und Erwachsensein, daß ihm solche Gedanken kamen. Vielleicht aber war sein Traum auch nichts weiter als nur eine ehrbare Variante des alten Wunsches, von mehr als einem Mädchen geliebt zu werden. Schönheit und Ernst hätte sie von ihrer Mutter, ebenso den herrlich geraden Rücken, und bestimmt spielte sie auch ein Instrument – Geige vermutlich, auch wenn er die elektrische Gitarre nicht ganz ausschließen mochte.

Für das Mozart-Quintett stieß an jenem Nachmittag Sonia dazu, die Bratschistin aus dem Wohnheim. Endlich konnten sie anfangen. Es folgte eine kurze, die Spannung steigernde Stille, die Mozart selbst in der Partitur notiert haben mochte. Doch schon vom ersten Ton an verblüffte Edward die Klangfülle und Kraft, ihr so samtiges Spiel, und einige Minuten lang genoß er die Musik – bis er irgendwann den Faden verlor und das künstlich Aufgeregte wie das Einförmige ihn auf vertraute Weise zu langweilen begannen. Dann unterbrach Florence das Spiel, um mit ruhiger Stimme den bisherigen Verlauf zu kommentieren, worauf eine Diskussion folgte und sie schließlich wieder von neuem anfingen. So ging das mehrere Male, doch durch die Wiederholung begann sich für Edward eine liebliche Melodie herauszuschälen, flüchtige Verstrickungen zwischen den Stimmen, kühne Höhenwechsel und Sprünge, auf die er dann bei der nächsten Wiederholung schon wartete. Später, auf der Heimfahrt im Zug, konnte er Florence aufrichtig sagen, daß ihn die Musik bewegt hatte, ja er summte ihr ganze Auszüge daraus vor. Florence war so gerührt, daß sie ihm noch ein Versprechen gab – wieder mit diesem faszinierenden Ernst, der ihre Augen doppelt so groß wirken ließ. Wenn das Ennismore-Ensemble einst seinen großen Auftritt in der Wigmore Hall hatte, dann würde es dieses Quintett spielen, und es sollte ihm, Edward, gewidmet sein.

Edward brachte wenig später von zu Hause eine

Auswahl Platten nach Oxford mit, von denen er hoffte, sie würden Florence gefallen. Still saß sie da und hörte sich geduldig, mit geschlossenen Augen und höchster Konzentration Chuck Berry an. Edward fürchtete, *Roll over Beethoven* wäre nichts für sie, aber sie fand es urkomisch. Sie gebrauchte Worte wie »flott«, »fröhlich« oder »ehrlich«, die ihm jedoch verrieten, daß sie bloß nett sein wollte. Als er andeutete, sie fände anscheinend keinen Zugang zu Rock 'n' Roll und müsse es doch auch gar nicht weiter versuchen, gestand sie, daß sie das Getrommel nicht ausstehen könne. Wozu dieses erbarmungslose Hämmern, Scheppern und Poltern, wenn die Melodien ohnehin so schlicht waren, meist nur ein simpler Viervierteltakt? Was hatte das Ganze für einen Sinn, wenn doch bereits eine Rhythmusgitarre und oft auch ein Klavier mitspielten? Konnten sich die Musiker kein Metronom besorgen, wenn sie unbedingt den Takt hören wollten? Sollte am Ende etwa auch das Ennismore-Quartett noch einen Drummer aufnehmen? Er küßte sie und sagte, sie sei der spießigste Mensch in der gesamten westlichen Zivilisation.

»Aber du liebst mich«, erwiderte sie.

»*Deshalb* liebe ich dich.«

Als Anfang August in Turville Heath ein Nachbar erkrankte, fragte man Edward, ob er als Platz-

wart im Turville-Kricketklub einspringen wollte.
Er sollte zwölf Stunden in der Woche arbeiten, die
er sich nach eigenem Gutdünken einteilen konnte.
Meist ging er frühmorgens noch vor seinem Vater
aus dem Haus und schlenderte im Vogelgezwitscher
gemächlich durch die Lindenallee zum Klub, als
wäre er der Besitzer. In der ersten Woche richtete
er den Platz für das Lokalderby her, das große Spiel
gegen Stonor. Er mähte und walzte den Rasen und
half einem aus Hambleden kommenden Tischler
beim Bau und Anstrich einer neuen Sichtblende.
Wenn er gerade nicht arbeitete und seine Anwe-
senheit auf dem Platz nicht erforderlich war, fuhr
er meist sofort nach Oxford, weil er sich danach
sehnte, Florence wiederzusehen, aber auch, weil er
ihren Besuch bei seiner Familie möglichst lang hin-
ausschieben wollte. Er wußte nicht, ob sie seine
Mutter mögen und wie sie auf den Schmutz und
die Unordnung im Haus reagieren würde. Lieber
wollte er sich die Zeit nehmen, beide Frauen auf-
einander vorzubereiten. Doch Florence kam ihm
zuvor. Als er an einem heißen Freitagnachmittag
über den Platz ging, entdeckte er sie im Schatten des
Pavillons, wo sie auf ihn gewartet hatte. Sie kannte
seine Arbeitszeiten, war mit dem Frühzug bis Henley gefahren und von dort durch das Stonor-Tal
gelaufen, eine Wanderkarte in der Hand und ei-

nige Apfelsinen in der Segeltuchtasche. Eine halbe Stunde lang hatte sie ihn schon beobachtet, wie er die hintere Begrenzungslinie nachzog. »Liebe aus der Ferne«, sagte sie, während sie sich küßten.

Gemächlich liefen sie Arm in Arm durch die prächtige Allee zurück, mitten auf dem breiten Weg, als ob er ihnen allein gehörte, und dies war einer der schönsten Augenblicke ihrer jungen Liebe. Jetzt, da es unvermeidlich geworden war, daß Florence seine Mutter und sein Elternhaus kennenlernte, störte ihn der Gedanke daran auch nicht länger. Die Linden warfen so dunkle Schatten, daß sie im strahlenden Sonnenlicht fast bläulichschwarz wirkten, und auf der Heide prangten wilde Blumen und frische Gräser. Edward prahlte damit, daß er ihre Namen kannte, und ein glücklicher Zufall wollte es, daß sie sogar einen Kranzenzian am Wegrand entdeckten. Sie zwackten nur eine kleine Blüte ab und sahen eine Goldammer, einen Grünfink und dann einen Sperber, der dicht an ihnen vorbeiflog und mit einer scharfen Kurve hinter einem Schlehdornbusch verschwand. Florence wußte nicht einmal, wie diese gewöhnlichen Vögel hießen, erklärte aber, sie sei nun fest entschlossen, ihre Namen zu lernen. Ihr herrlicher Spaziergang machte Florence überglücklich, aber sie war auch stolz auf die clevere Route, die sie gewählt hatte, durch das Stonor-Tal über einen schmalen Wirtschaftsweg ins schöne Bix Bottom, vorbei an den efeuüberwucherten Ruinen der Kirche St. James, den bewaldeten Hügel hinauf zum Maidensgrove Common, eine Wiese, auf der sie einen Blütenteppich aus Wildblumen entdeckt hatte, dann durch den Buchenwald nach Pishill Bank, wo eine kleine Kirche aus Ziegel und Flintstein mit ihrem Friedhof malerisch am Hang lag. Während sie diese Orte beschrieb, die Edward so gut kannte, stellte er sich vor, wie sie stundenlang wanderte, auf dem Weg zu ihm, und nur manchmal stehenblieb, um stirnrunzelnd auf die Karte zu schauen. All das seinetwegen. Welch ein Geschenk! Noch nie hatte sie so glücklich und so schön ausgesehen wie an diesem Tag. Das Haar war mit einem schwarzen Samtband zurückgebunden; sie trug schwarze Jeans, Turnschuhe, eine weiße Bluse, und im Knopfloch steckte verwegen eine Löwenzahnblüte. Und immer wieder zupfte Florence auf dem Weg zu Edwards Elternhaus an seinem Ärmel voller Grasflecken und bat um noch einen Kuß, wenn auch einen der keuschen Sorte, und ausnahmsweise gab er sich zufrieden oder fand sich doch gelassen damit ab, daß heute nichts weiter passieren würde. Nachdem Florence die letzte Apfelsine geschält und sie beide sich die Frucht geteilt hatten, ruhten ihre klebrigen Finger in seiner

Hand. In aller Unschuld freuten sich beide über die Überraschung, die Florence mit ihrem Besuch gelungen war; ihr Leben schien so unbeschwert und frei, und das ganze Wochenende lag vor ihnen.

Die Erinnerung an diesen Spaziergang vom Krikketplatz nach Hause quälte Edward jetzt, ein Jahr später, in seiner Hochzeitsnacht, während er im Halbdunkel vom Bett aufstand. Hin und her gerissen zwischen widerstreitenden Gefühlen klammerte er sich an seine schönsten und liebevollsten Erinnerungen an Florence, da er fürchtete, sonst zu resignieren, einfach aufzugeben. Eine bleierne Schwere erfaßte seine Beine, als er durch das Zimmer ging, um die Unterwäsche vom Boden aufzuheben. Er zog sie an, griff nach der Hose, die eine Zeitlang in seiner Hand baumelte, während er aus dem Fenster zu dem vom Wind zerzausten Geäst hinübersah, das jetzt bloß noch eine einheitliche, graugrüne Masse bildete. Hoch oben hing ein dunstverschleierter, fast lichtloser Halbmond. Das Geräusch der Wellen, die in regelmäßigen Abständen am Strand zerschellten, drang in seine Gedanken vor, als wäre es eben erst wieder angestellt worden, und Müdigkeit überkam ihn; auf die unbarmherzigen Gesetze und Abläufe der Natur, Mond, Ebbe und Flut, für die er sich sonst kaum interessierte, hatte sein persönliches Dilemma nicht die geringste Auswirkung. Diese offenkundige Tatsache fand er einfach zu brutal. Wie sollte er allein zurechtkommen, wenn ihm niemand half? Und wie sollte er zum Strand hinuntergehen, wo sie sich bestimmt aufhielt, wie ihr entgegentreten? Die Hose in der Hand kam ihm schwer und lächerlich vor, diese parallelen, an einem Ende verbundenen, der wechselnden Mode der letzten Jahrhunderte unterworfenen Tuchröhren. Ihm war, als kehrte er in die Welt von Sitte und Anstand zurück, sobald er sie überstreifte, zurück zu seinen Verpflichtungen und dem wahren Ausmaß seiner Schande. Und war er erst einmal angezogen, mußte er gehen und sie finden. Also zögerte er noch.

Wie über so viele lebhafte Eindrücke legte sich über die Erinnerung an den Spaziergang nach Turville Heath ein Halbschatten des Vergessens. Sie mußten seine Mutter allein angetroffen haben – sein Vater und die Mädchen waren wohl noch in der Schule. Ein fremdes Gesicht machte Marjorie Mayhew gewöhnlich nervös, aber in seinem Gedächtnis fand er kein Bild mehr davon, wie er die beiden einander vorstellte oder wie Florence auf die vollgepfropften schmutzigen Zimmer reagierte, auf den Gestank vom Abfluß in der Küche, der im Sommer besonders schlimm war. Er besaß nur Schnappschüsse vom Nachmittag, einige Ansichten wie alte Postkarten. Ein Bild war durch das verschmierte, unterteilte Wohnzimmerfenster aufgenommen worden, Florence und seine Mutter auf der Bank am hinteren Gartenende, beide mit Schere und einer Ausgabe von *Life* in der Hand, wie sie schwatzten und die Seiten der Zeitschriften zerschnippelten. Als die Mädchen von der Schule kamen, mußten sie Florence zu den Nachbarn entführt haben, um ihr das Eseljunge zu zeigen, denn auf einem weiteren Schnappschuß kamen sie alle drei Arm in Arm über die Wiese zurück. Auf einem dritten Bild war Florence zu sehen, wie sie ein Teetablett zu seinem Vater in den Garten trug. Ach ja, er durfte nicht daran zweifeln, sie war ein guter Mensch, der beste; in jenem Sommer hatten sich alle Mayhews in Florence verliebt. Gemeinsam mit den Zwillingen waren sie nach Oxford gefahren und hatten einige Stunden mit Florence und ihrer Schwester am Fluß verbracht. Von diesem Tag an fragte Marjorie ständig nach Florence, obwohl sie sich nicht an ihren Namen erinnern konnte, und Lionel Mayhew, ganz Mann von Welt, riet seinem Sohn, »das Mädchen« zu heiraten, bevor es ihm jemand wegschnappte.

Die Postkarten vom Elternhaus, der Spaziergang unter den Linden, der Sommer in Oxford, diese Erinnerungen an das letzte Jahr beschwor er nicht deshalb herauf, weil er den sentimentalen Wunsch hegte, sich in seinem Kummer zu verlieren, ihm nachzugeben, sondern um ihn zu vertreiben, um wieder verliebt zu sein und ein Gefühl nicht aufkommen zu lassen, das er sich nur ungern eingestand, den Beginn eines Stimmungsumschwungs, ein Verlangen nach Genugtuung, ein leises, sich langsam ausbreitendes Gift. Wut. Der Dämon, den er vorhin, als er fürchtete, die Geduld zu verlieren, noch im Zaum gehalten hatte. Welch eine Verlokkung, ihm nachzugeben, jetzt, wo er allein war, ihn toben zu lassen. Seine Selbstachtung verlangte angesichts einer solchen Demütigung geradezu danach. Und was war schlimm am bloßen Gedanken? Besser, ihn zulassen, noch während er hier stand, halb nackt inmitten der Trümmer seiner Hochzeitsnacht. Die so plötzlich versiegte Begierde erleichterte die Kapitulation. Da seine Gedanken nicht länger von Sehnsucht betäubt oder verzerrt wurden, konnte er diese Beleidigung nun mit forensischer Objektivität sezieren. Und was war das für eine ungeheure Beleidigung, welche Verachtung hatte sie nicht mit ihrem angewiderten Aufschrei bewiesen, ihrem Theater mit dem Kissen, dann auch noch der Stich ins Herz, als sie ohne ein Wort aus dem Zimmer gerannt war, ihn in Schmach und Schande mit der Last des Versagens zurückließ. Sie hatte alles getan, um es noch schlimmer, um eine Versöhnung unmöglich zu machen. Sie verachtete ihn, wollte ihn bestrafen, ließ ihn allein, damit er über seine Unzulänglichkeiten nachdachte, ohne auch nur einen Gedanken auf ihre eigenen Fehler zu verschwenden. Zweifellos war es die Bewegung ihrer Hand gewesen, ihrer Finger, die ihn hatte kommen lassen – bei der Erinnerung an diese Berührung, dieses herrliche Gefühl, begann ihn heiße, frisch aufkeimende Erregung abzulenken, ihn von seinen verbitterten Gedanken fortzulocken, doch er widerstand der Versuchung, Florence zu verzeihen. Er hatte sein Thema gefunden und ließ nicht locker. Er spürte, daß ihn noch Wichtiges erwartete, und da war es auch schon, endlich, er stieß zu ihm vor wie ein Bergarbeiter, der durch die Felswand in einen breiteren Tunnel dringt, einen düsteren Stollen, breit genug für seine wachsende Wut.

Deutlich sah er alles vor sich; was war er doch für ein Idiot, daß er nicht früher darauf gekommen war. Geduldig hatte er ein ganzes Jahr lang alle Qualen ertragen, hatte sich nach ihr gesehnt, hatte gelitten und dabei doch nur so wenig gewollt, etwas lächerlich Unschuldiges wie einen echten Kuß oder daß sie ihn berührte, sich von ihm berühren ließ. Ihr Eheversprechen war seine einzige Hoffnung gewesen. Und was für Vergnügungen hatte sie ihnen

verwehrt! Selbst wenn sie erst nach der Heirat miteinander schliefen, wäre eine solche Tortur, eine
solche Marter der Enthaltsamkeit nicht nötig gewesen. Er hatte Geduld bewiesen, sich nicht beklagt –
ein höflicher Narr. Andere Männer hätten mehr
verlangt oder sie verlassen. Und wenn er, nach einem Jahr der Selbstbeherrschung, sich nicht länger
zurückhalten konnte und im entscheidenden Moment versagte, dann weigerte er sich, dafür die Verantwortung zu tragen. Ganz genau. Er wies diese
Demütigung zurück, erkannte sie nicht an. Es war
einfach empörend, daß sie vor Enttäuschung auf-
schrie und aus dem Zimmer lief, obwohl sie allein
die Schuld trug. Er mußte sich anscheinend mit der
Tatsache abfinden, daß sie keine Küsse, keine Be-
rührungen mochte, daß es ihr nicht gefiel, wenn ihre
Körper beieinanderlagen, daß sie kein Interesse an
ihm hatte. Sie war gefühllos, völlig ohne Verlangen. Sie würde niemals spüren können, was er empfand. Die nächsten Schlüsse zog Edward mit fa-
taler Leichtigkeit: Sie hatte all das gewußt – wie
denn auch nicht? –, und sie hatte ihn getäuscht. Aus
Gründen der Ehrbarkeit wollte sie einen Ehemann,
um ihren Eltern einen Gefallen zu tun, oder weil
alle Frauen einen suchten. Vielleicht hielt sie das
Ganze auch für ein aufregendes Spiel. Sie liebte ihn
nicht, konnte ihn nicht so lieben, wie sich Männer

und Frauen liebten, und sie hatte es gewußt und ihm verschwiegen. Falsch, das war sie.

Es war nicht leicht, barfuß und in Unterwäsche zu derart unangenehmen Wahrheiten vorzudringen. Also zog er sich die Hose an, griff nach Socken und Schuhen und sagte sich dabei noch einmal alles vor, schliff an den rauhen Kanten, feilte an den schwierigen Übergängen, den Brücken, die sich über seine Zweifel schwangen, bis alles hieb- und stichfest war. Dabei spürte er, wie seine Wut brodelte, sich ihrem Siedepunkt näherte, doch blieb sie bedeutungslos, solange sie nicht in Worte gefaßt wurde. Das sollte sich ändern. Florence mußte wissen, was er fühlte und dachte; es mußte ihr gesagt werden, er wollte es ihr zeigen. Also schnappte er sich seine Jacke vom Stuhl und eilte aus dem Zimmer.

Fünf

Sie sah ihn über den Strand auf sich zukommen, seine Gestalt auf dem Kieselstreifen anfangs kaum mehr als ein indigofarbener Fleck in der Dämmerung, manchmal fast reglos, die Konturen flackernd, verschwimmend, dann plötzlich wieder näher, als wäre er wie eine Schachfigur einige Felder vorgerückt. Ein letzter Schimmer Tageslicht lag auf dem Ufer, und weit hinten im Osten schimmerten Lichtpunkte auf der Insel Portland, und eine tiefhängende Wolke spiegelte das stumpfe, gelbliche Glühen der Straßenlaternen einer fernen Stadt. Sie beobachtete ihn, wünschte sich, er liefe langsamer, denn ihr schlechtes Gewissen quälte sie, und sie sehnte sich verzweifelt nach mehr Zeit. Wie ihr Gespräch auch verlaufen würde, sie fürchtete sich davor. Soweit sie wußte, existierten keine Worte für das Geschehene, gab es keine gemeinsame Sprache, in der sich zwei vernünftige Erwachsene über einen derartigen Vorfall unterhalten konnten. Und sich darüber zu streiten überstieg erst recht jede Vorstellung. Es konnte keine Diskussion geben. Sie wollte an das Geschehene nicht mehr denken und hoffte, ihm gehe es genauso. Aber worüber sollten sie dann reden? Weshalb waren sie sonst hier draußen? Die Angelegenheit stand zwischen ihnen, unverrückbar wie eine Bodenerhebung, ein Berg, ein Vorgebirge. Unaussprechlich, unvermeidbar. Und sie schämte sich. Das Entsetzen über das eigene Verhalten klang in ihr nach, hallte ihr förmlich in den Ohren wider. Deshalb war sie so weit hinausgelaufen, mit ihren feinen Schuhen über groben Kies, um aus dem Zimmer zu flüchten, um all dem zu entkommen, was darin geschehen war, um vor sich selbst zu fliehen. Sie hatte sich unerhört benommen. *Un-er-hört!* Mehrere Male wiederholte sie in Gedanken dieses unzulängliche, letztlich beschönigende Wort – ihr Tennisspiel war unerhört, das Klavierspiel ihrer Schwester war unerhört. Florence wußte, daß sie ihr Verhalten damit eher vertuschte als beschrieb.

Gleichzeitig war sie sich Edwards Blamage bewußt – als er sich mit verbissenem, bestürztem Blick über ihr aufbäumte und ein reptilienhaftes Zucken seine Wirbelsäule durchlief. Doch sie versuchte, nicht daran zu denken. Oder wagte sie sich einzugestehen, daß sie auch ein klein wenig erleichtert war, weil es nicht an ihr allein lag, weil mit ihm auch irgendwas nicht stimmte? Wie schrecklich, aber wie tröstlich auch, wenn er an einer Erbkrankheit litte, es in der Familie lag, jene Art Gebrechen, über die man sich stets schamhaft ausschwieg, wie etwa Inkontinenz oder auch Krebs, ein Wort, das sie nicht einmal laut sagte, weil sie abergläubisch fürchtete, sie könnte sich den Mund infizieren – eine alberne Dummheit, zu der sie sich bestimmt nie bekennen würde. Falls ihre Vermutung stimmte, könnten sie sich gegenseitig bemitleiden, in Liebe verbunden durch ihre Leiden. Sie bedauerte ihn, aber ein bißchen fühlte sie sich auch betrogen. Wenn er an derartig ungewöhnlichen Beschwerden litt, warum hatte er ihr dann nichts davon ganz im Vertrauen erzählt? Aber sie wußte natürlich, warum er das nicht konnte. Sie hatte selbst ja auch nichts gesagt. Wie hätte er es anfangen, wie sein Gebrechen schildern sollen, mit welchen Worten? Es gab sie nicht. Diese Sprache mußte noch erfunden werden.

Doch noch während sie ihren Gedanken nachhing, wußte sie genau, daß mit ihm alles in Ordnung war. Einfach alles. An ihr lag es, ihr allein. Sie lehnte sich gegen den großen umgestürzten Baum, der nach einem Sturm am Strand zurückgeblieben war, die Rinde von den Wellen abgeschält und das Holz glatt und hart vom Salzwasser. Sie schmiegte sich in eine Astgabel und spürte im Kreuz den letzten Rest Sonnenwärme des mächtigen Stamms. So mußte sich ein Kleinkind fühlen, geborgen in der Armbeuge der Mutter, nur konnte Florence nicht glauben, daß sie sich an Violet geschmiegt hatte, dünn und drahtig vor lauter Schreiben und Denken, wie deren Arme waren. Mit fünf Jahren hatte Florence eine Norlandnanny gehabt, mütterlich und ein bißchen pummelig, mit melodischem schottischem Akzent und roten rauhen Fingerknöcheln, doch nach einer Schandtat, über die nie mehr ein Wort verloren wurde, war sie verschwunden.

Florence sah Edward über die Landzunge näher kommen und nahm an, daß er sie noch nicht entdeckt hatte. Sie könnte die steile Böschung hinuntergehen und am Ufer der Lagune entlang zurückgehen, aber obwohl sie Angst vor ihrem Mann hatte, fand sie es doch zu grausam, einfach vor ihm davonzulaufen. Einen Moment lang zeichneten sich die Umrisse seiner Schultern vor einem silbernen Wasserstreifen ab, einer Strömung, die sich weit hinter ihm im Meer abzeichnete. Gleich darauf vernahm sie das Geräusch seiner Schritte auf dem Kies, und das hieß, er könnte auch ihre hören. Er mußte gewußt haben, wo sie zu finden war, weil sie nach dem Essen doch hierher hatten kommen wollen, um mit einer Flasche Wein in der Hand über die berühmte Kiesbank zu spazieren. Sie hatten unterwegs Steine sammeln und der Größe nach vergleichen wollen, um festzustellen, ob die Stürme tatsächlich Ordnung am Strand geschaffen hatten.

Der Gedanke an entgangene Freuden bedrückte sie allerdings kaum, da er gleich darauf von einer Idee verdrängt wurde, einer halbfertigen Überlegung vom frühen Abend. Sich zu lieben und miteinander frei zu sein. Dieses Argument könnte sie anführen, ein mutiger Vorschlag, dachte sie, aber für jemand anders, für Edward, hörte es sich bestimmt lächerlich an, idiotisch, womöglich gar verletzend. Nie wußte sie das Ausmaß ihrer eigenen Unwissenheit genau einzuschätzen, obwohl sie doch in einigen Dingen recht klug zu sein meinte. Sie brauchte mehr Zeit. Aber in wenigen Sekunden würde er bei ihr sein, und das schreckliche Gespräch mußte beginnen. Eine weitere Schwäche von ihr war, daß sie nicht wußte, welche Haltung sie einnehmen sollte, daß sie nichts fühlte außer der Angst vor dem, was er sagen mochte und welche Antworten von ihr erwartet werden würden. Sie wußte nicht, ob sie um Verzeihung bitten oder eine Entschuldigung erwarten sollte. Sie liebte ihn nicht, sie haßte ihn auch nicht – sie fühlte gar nichts. Sie wollte einfach nur allein hier in der Dämmerung am Stamm des riesigen Baumes lehnen.

Er schien eine Art Paket in der Hand zu halten und blieb gut eine Zimmerbreite vor ihr stehen. Das allein fand sie schon dermaßen unfreundlich, daß sie spürte, wie sich Trotz in ihr regte. Warum war er ihr bloß so bald gefolgt?

Und tatsächlich klang er ziemlich gereizt. »Da bist du also.«

Sie brachte es nicht über sich, auf eine derart dämliche Bemerkung zu antworten.

»Mußtest du denn wirklich so weit laufen?«

»Ja.«

»Sind anderthalb Kilometer bis zum Hotel.«

Die Härte in ihrer Stimme überraschte sie selbst: »Mir egal, wie weit es ist. Ich mußte an die frische Luft.«

Er entgegnete nichts. Der Kies knirschte unter seinen Schuhen, wenn er das Gewicht verlagerte. Sie sah jetzt, daß er seine Jacke mitgebracht hatte. Am Strand war es schwül und warm, wärmer als tagsüber, und es störte sie, daß er gemeint hatte, die Jacke mitbringen zu müssen. Wenigstens trug er nicht auch noch seinen Schlips! Meine Güte, wie gereizt sie plötzlich war, dabei hatte sie sich vor wenigen Augenblicken noch so geschämt. Normalerweise wäre ihr daran gelegen, daß er eine gute Meinung von ihr hatte, aber das war ihr jetzt egal.

Er setzte an, ihr etwas zu sagen, und kam einen Schritt näher. »Hör mal, das ist lächerlich. Es war unfair von dir, einfach wegzulaufen.«

»War es das?«

»Es war sogar verdammt unangenehm.«

»Ach ja? Was du getan hast, war auch verdammt unangenehm.«

»Soll heißen?«

Sie hatte bei ihrer Frage die Augen geschlossen gehalten. »Du weißt genau, was ich meine.«

Mit der Erinnerung an ihren Teil des Gesprächs würde sie sich bestimmt noch lange quälen, aber jetzt setzte sie nach: »Es war absolut widerlich.«

Sie meinte ihn aufstöhnen zu hören, als wäre ihm ein Schlag gegen die Brust versetzt worden. Hätte das Schweigen, das daraufhin einsetzte, nur wenige Sekunden länger gedauert, hätte ihr schlechtes Gewissen vermutlich Zeit genug gehabt, sich gegen sie aufzulehnen, so daß ihre Antwort vielleicht weniger unfreundlich ausgefallen wäre.

Aber Edward holte schon zum nächsten Tiefschlag aus: »Du hast nicht die leiseste Ahnung davon, was es heißt, mit einem Mann zusammenzusein. Sonst wäre das nie passiert. Du hast mich auch nie an dich rangelassen. Keinen blassen Dunst hast du von dem Ganzen, stimmt's? Du führst dich auf, als schrieben wir das Jahr *achtzehnhundert*zweiundsechzig. Du weißt ja noch nicht mal, wie man richtig küßt.«

Kühl gab sie zurück: »Wenn hier einer versagt

hat, dann doch wohl nicht ich.« Das war es gar nicht, was sie sagen wollte, eine solche Grausamkeit war ihr fremd. Sie war nur die zweite Geige, die der ersten antwortete, parierte nur automatisch seine unvermuteten, gezielten Angriffe, wehrte sich gegen die Verachtung, die sie aus seinem häufigen »Du« heraushörte. Wie viele Vorwürfe sollte sie in einer so kurzen Rede denn noch ertragen können?

Falls sie ihn getroffen hatte, ließ er es sich nicht anmerken, doch konnte sie sein Gesicht im Dunkeln kaum erkennen. Vielleicht aber war es auch gerade die Dunkelheit, die ihr Mut machte.

Als er wieder zu reden begann, sagte er ganz leise: »Ich laß mich von dir nicht demütigen.«

»Und ich laß mich von dir nicht unter Druck setzen.«

»Tu ich ja auch gar nicht.«

»Tust du wohl. Hast du schon immer getan.«

»Das ist doch lächerlich. Wovon redest du überhaupt?«

Sie war sich nicht sicher, wußte aber nun, welchen Weg sie einschlagen würde. »Ständig bedrängst du mich, forderst, willst was von mir. Nie können wir einfach nur zusammensein. Nie einfach nur glücklich sein. Dieser endlose Druck. Immer willst du noch etwas mehr. Dieses ewige Geschleime.«

»Geschleime? Ich verstehe dich nicht. Jedenfalls will ich hoffen, daß du nicht von Geld redest.«

Tat sie nicht. Daran hatte sie nicht einmal gedacht. Wie unverschämt, jetzt auf Geld zu kommen. Wie konnte er nur? Also sagte sie: »Tja, da du es erwähnst, scheint dich der Gedanke daran ja sehr zu beschäftigen.«

Sein Sarkasmus war es, der sie aufstachelte. Oder sein unverblümter Ton. Das, worauf sie sich bezog, war wichtiger als Geld, nur wußte sie nicht, wie sie es ihm sagen sollte. Es ging um seine Zunge, die sich tiefer in ihren Mund drängte, seine Hand, die er stets weiter unter den Rock oder die Bluse schob und die ihre Hand zu seinem Schoß zog, seine Art, den Blick abzuwenden und zu verstummen. Es ging um die dumpfe Erwartung, daß sie immer mehr gab, und wenn sie es nicht tat, stieß sie ihn vor den Kopf, hielt ihn nur auf. Wie oft sie auch eine Grenze übertrat, stets drängte er weiter. Jedes Zugeständnis erhöhte die Forderungen und verstärkte die Enttäuschung. Selbst in ihren glücklichsten Augenblicken gab es diesen Schatten des Vorwurfs, die kaum verhehlte Bedrückung über seine ausgebliebene Erfüllung, die sich wie ein Alptraum über alles legte, ein ständiger Kummer, für den sie allein verantwortlich war, darin jedenfalls waren sie sich einig. Sie wollte verliebt sein, und sie wollte sie selbst sein. Doch um sie selbst sein zu können, mußte sie ständig nein sagen, und dann war sie nicht mehr sie selbst. Sie sah sich auf die Seite des Kränklichen verbannt, als Widersacherin des normalen Lebens angeprangert. Es irritierte sie, daß er ihr so rasch über den Strand gefolgt war, obwohl er ihr doch Zeit für sich selbst hätte lassen müssen. Dabei war das, was hier an den Ufern des Ärmelkanals geschah, nur ein kleines Steinchen in einem großen Ganzen. Sie sah die Zukunft schon vor sich. Sie stritten sich, sie würden sich wieder versöhnen, zumindest halbwegs, er würde sie ins Zimmer zurücklocken, und dann sah sie sich aufs neue mit seinen Erwartungen konfrontiert. Und wieder würde sie versagen. Sie bekam kaum noch Luft. Ihre Ehe war gerade acht Stunden alt, doch jede Stunde lastete auf ihr, und das immer schwerer, weil sie nicht wußte, wie sie ihm von ihrer Idee erzählen sollte. Also mußte das Geld als Thema herhalten – und es eignete sich offenbar hervorragend, denn jetzt war er wirklich wütend.

Er sagte: »Geld hat mich noch nie interessiert, deins nicht und auch nicht das Geld von sonst irgendwem.«

Sie wußte, daß es stimmte, sagte aber nichts.

Er hatte seine Stellung verändert, sie erkannte seine Umrisse jetzt deutlich vor dem verblassenden Schimmer auf dem Wasser. »Dann behalt doch dein

Geld, gib das Geld deines Vaters für dich selber aus. Kauf dir eine neue Geige. Vergeude es bloß nicht für etwas, das ich gebrauchen könnte.«

Er klang aufgebracht. Sie hatte ihn verletzt, schwerer, als sie wollte, aber im Moment war ihr das egal, und es half, daß sie sein Gesicht nicht sehen konnte. Sie hatten noch nie über Geld geredet. Das Hochzeitsgeschenk ihres Vaters waren zweitausend Pfund gewesen. Vage hatten sie darüber gesprochen, daß sie eines Tages davon vielleicht ein Haus kaufen würden.

Er sagte: »Du glaubst, ich habe mich für die Stelle in seiner Firma bei euch eingeschleimt? Das war doch deine Idee. Und ich will sie nicht. Verstehst du? Ich arbeite nicht für deinen Vater. Du kannst ihm ruhig sagen, ich hätte meine Meinung geändert.«

»Sag's ihm selbst. Wird ihn bestimmt freuen. Er hat deinetwegen nämlich ziemliche Umstände gehabt.«

»Gut, das werde ich.«

Er wandte sich ab und ging zum Uferrand, kam aber nach wenigen Schritten zurück und trat dabei mit solch ohnmächtiger Wut gegen die Kiesel, daß er einen ganzen Schwung kleiner Steine in die Höhe schleuderte, von denen etliche kurz vor ihren Füßen landeten. Sein Ärger weckte ihren, und plötzlich glaubte sie, das Problem zu begreifen: Sie waren zu höflich, zu verkrampft, zu ängstlich, auf Zehenspitzen schlichen sie umeinander herum, murmelten, flüsterten, gaben nach, stimmten zu. Sie kannten sich kaum und konnten sich auch nicht kennenlernen, weil ständiges höfliches Verschweigen ihre Unterschiede zudeckte und sie nicht nur aneinander fesselte, sondern zugleich auch füreinander blind machte. Sie hatten sich beide davor gefürchtet, jemals unterschiedlicher Meinung zu sein, doch jetzt fühlte sich Florence durch Edwards Wut wie befreit. Sie wollte ihn verletzen, ihn bestrafen, um sich von ihm zu unterscheiden. Dieser Drang war für sie so neu, diese Gier nach Zerstörung, daß sie ihr nichts entgegenzusetzen wußte. Ihr Herz raste, sie wollte Edward sagen, wie sehr sie ihn haßte, und fast hatte sie diese harten, wunderbaren Worte schon ausgesprochen, die nie zuvor über ihre Lippen gekommen waren, als er zu reden begann.

Er fing noch einmal von vorn an und setzte seine würdevollste Miene auf, um ihr erneut Vorhaltungen zu machen. »Warum bist du weggelaufen? Das war falsch. Und verletzend.«

Falsch. Verletzend. Wie pathetisch! »Ich hab's dir doch gesagt«, erwiderte sie. »Ich mußte einfach raus. Ich habe es nicht ausgehalten, noch länger mit dir in einem Zimmer zu sein.«

»Du wolltest mich demütigen.«

»Okay, also schön. Wenn du meinst, dann wollte ich dich eben demütigen. Was anderes hast du ja auch nicht verdient, wenn du dich nicht beherrschen kannst.«

»Du Miststück, wie kannst du so etwas sagen?«

Das Wort durchschnitt wie ein Blitz den Nachthimmel. Jetzt ließ sich einfach alles sagen.

»Wenn du so von mir denkst, dann laß mich in Ruhe. Verschwinde von hier, hörst du? Bitte, Edward, *geh*! Kapierst du nicht? Ich bin hergekommen, um allein zu sein.«

Sie wußte, er hatte längst gemerkt, daß er mit diesem Wort zu weit gegangen war, aber es ließ sich nun mal nicht mehr zurücknehmen. Während sie ihm den Rücken zukehrte, war ihr bewußt, daß sie Theater spielte, daß sie sich auf eine Weise taktisch verhielt, wie sie es bei ihren temperamentvolleren Freundinnen immer gehaßt hatte. Allmählich war sie dieses Gespräch leid. Selbst falls es gut ausging, würde es nur noch mehr von diesen stummen Manövern nach sich ziehen. Manchmal, wenn sie unglücklich war, fragte sie sich, was sie am liebsten tun würde. Jetzt gerade wüßte sie darauf augenblicklich die Antwort. Sie sah sich am Bahnhof in Oxford am Gleis nach London stehen, neun Uhr früh, den Geigenkasten in der Hand, ein Bündel Notenblätter und einige angespitzte Bleistifte in der alten Segeltuchtasche über ihrer Schulter, unterwegs zur Probe mit dem Quartett, zu einem Treffen mit Schönem und Schwierigem, zu Problemen, die sich dadurch lösen ließen, daß Freunde zusammenarbeiteten. Hier dagegen, mit Edward, konnte sie sich keine Lösung vorstellen, falls sie ihm nicht ihre Idee erklärte, und im Moment fürchtete sie, daß ihr dafür der Mut fehlte. Wie unfrei sie doch war, wenn sie sich an diesen seltsamen Menschen aus einem Nest in den Chiltern Hills band, der die Namen wilder Blumen und Gewächse und all der mittelalterlichen Könige und Päpste kannte. Und wie merkwürdig kam es ihr jetzt vor, daß sie diese Situation selbst gewählt hatte, diese Bindung freiwillig eingegangen war.

Sie stand noch immer mit dem Rücken zu ihm, spürte aber, daß er näher gekommen war, und sie stellte ihn sich vor, wie seine Hände herabhingen, wie die Fäuste sich lautlos ballten und wieder lösten, während er die Möglichkeit erwog, sie an der Schulter zu berühren. Über die Fleet-Lagune drangen aus den tiefschwarzen Hügeln die zauberhaften Flötentöne eines einzelnen Vogels. Da es bereits so spät und die Melodie so hübsch war, nahm sie an, daß es eine Nachtigall sein mußte, aber gab es Nachtigallen am Meer? Sangen sie im Juli? Edward hätte das gewußt, aber ihr war nicht danach, ihn zu fragen.

In sachlichem Ton sagte er: »Ich habe dich geliebt, aber du hast es mir so schwergemacht.«

Sie schwiegen, während sie über die Konsequenzen der von ihm gewählten Zeitform nachdachten. Schließlich sagte sie erstaunt: »Du *hast* mich geliebt?«

Er nahm nichts zurück. Vielleicht war er selbst kein übler Taktiker. Er sagte bloß: »Wir hätten zusammen frei sein können, könnten im Paradies sein. Statt dessen stecken wir in diesem Schlamassel.«

Die schlichte Wahrheit seiner Bemerkung entwaffnete sie, ebenso die Rückkehr zu einer hoffnungsvolleren Zeitform. Das Wort »Schlamassel« erinnerte sie allerdings an die häßliche Szene im Schlafzimmer, an die klebrige Flüssigkeit auf ihrer Haut, die zu einer rissigen Glasur verhärtet war. Sie wußte genau, daß sie so etwas nicht noch einmal zulassen würde.

»Ja«, antwortete sie unbestimmt.

»Soll heißen?«

»Es ist ein Schlamassel.«

Danach herrschte Schweigen, eine Art Pattsituation, in der sie auf unbestimmte Dauer feststeckten, während sie den Wellen lauschten, dem gelegentlichen Gesang des Vogels, der weiter fort geflogen war, dessen Rufe aber noch klarer zu ihnen herüberdrangen. Wie Florence es geahnt hatte, legte Edward ihr schließlich eine Hand auf die Schulter. Eine freundliche Berührung, deren Wärme ihr über den Rücken bis ins Kreuz kroch. Sie wußte nicht mehr, was sie denken sollte, und konnte es nicht leiden, wie sie sich berechnend fragte, wann sie sich umdrehen sollte. Sie stellte sich vor, wie er sie sah, linkisch und spröde wie ihre Mutter, schwer zu durchschauen, eine Frau, die Schwierigkeiten bereitete, während sie doch unbeschwert im Paradies sein könnten. Also sollte sie es für ihn leichter machen. Das war ihre Pflicht, die Pflicht einer Ehefrau. Und sie drehte sich um und trat einen Schritt zurück, entzog sich ihm, weil sie nicht geküßt werden wollte, jetzt jedenfalls noch nicht. Sie brauchte einen klaren Kopf, um ihm von ihrem Plan zu erzählen, aber immerhin standen sie so nahe beieinander, daß Florence noch ein wenig von seinem Gesicht erkennen konnte. Vielleicht trat in diesem Moment der Mond vor. Und Edward hatte wieder diesen Blick, einen Blick voller Staunen, den er aufsetzte, wenn er ihr sagen wollte, wie schön sie war. Sie hatte ihm nie recht geglaubt, und es irritierte sie, wenn er das sagte, weil er dann womöglich etwas von ihr wollte, das sie ihm vielleicht nie würde geben können. Von diesen Überlegungen abgelenkt, kam sie nicht dazu, ihm das zu sagen, was sie eigentlich sagen wollte.

Sie hörte sich fragen: »Ist das eine Nachtigall?«

»Eine Amsel.«

»Im Dunkeln?« Sie konnte ihre Enttäuschung kaum verbergen.

»Wahrscheinlich hat der Vogel hier sein Revier. Muß sich ganz schön abrackern, der Arme.« Dann setzte er hinzu: »Genau wie ich.«

Plötzlich mußte sie lachen. Es war, als hätte sie es fast vergessen gehabt, sein wahres Ich, doch jetzt stand Edward wieder deutlich vor ihr, der Mann, den sie liebte, ihr alter Freund, der so unerwartete, liebenswerte Dinge sagte. Allerdings war es ein beklommenes Lachen, denn sie kam sich ein bißchen verrückt vor. Noch nie hatten ihre Gefühle so geschwankt, hatte sie ein solches Auf und Ab gekannt. Und jetzt wollte sie auch noch einen Vorschlag machen, der einerseits völlig vernünftig klang, andererseits aber – sie wußte es gar nicht genau zu sagen – einfach unerhört war. Sie kam sich vor, als versuchte sie, das Leben neu zu erfinden. Bestimmt würde sie alles verpatzen.

Von ihrem Lachen verleitet, trat er näher und griff nach ihrer Hand, aber sie wich erneut vor ihm zurück. Entscheidend war jetzt, daß sie einen klaren Kopf behielt. Und wie sie es in Gedanken geübt hatte, begann sie ihre Rede mit dem allerwichtigsten Bekenntnis.

»Du weißt, ich liebe dich. Sehr sogar. Und ich weiß, daß du mich liebst. Daran habe ich nie gezweifelt. Ich bin gern mit dir zusammen, und ich möchte den Rest meines Lebens mit dir verbringen, und du sagst, daß du das gleiche für mich empfindest. Es sollte also alles ganz einfach sein. Ist es aber nicht, wir stecken in einem Schlamassel, wie du schon gesagt hast. Trotz all unserer Liebe. Ich weiß auch, daß dies ganz allein meine Schuld ist, und wir kennen beide den Grund. Dir dürfte inzwischen ziemlich klargeworden sein, daß...«

Sie stockte, er wollte etwas sagen, aber sie hob eine Hand.

»Daß ich in Sachen Sex ein ziemlich hoffnungsloser, nein, ein total hoffnungsloser Fall bin. Nicht nur, daß ich darin nicht besonders gut bin, ich scheine ihn, anders als du oder andere Menschen, auch gar nicht zu brauchen. Er geht mir völlig ab. Ich mag ihn nicht, mag nicht einmal den Gedanken daran. Keine Ahnung, warum das so ist, aber ich glaube nicht, daß sich daran etwas ändern wird. Jedenfalls nicht sofort. Zumindest kann ich es mir nicht vorstellen. Und wenn ich dir das jetzt nicht sage, werden wir uns ewig damit herumschlagen,

und ich würde dir eine Menge Kummer bereiten –
und mir auch.«

Als sie diesmal innehielt, blieb er stumm. Er
stand zwei Meter von ihr entfernt, völlig still, kaum
mehr als eine Silhouette. Sie fürchtete sich und
zwang sich, weiterzureden.

»Vielleicht sollte ich in psychologische Behand-
lung gehen. Vielleicht sollte ich auch lieber gleich
meine Mutter umbringen und meinen Vater heiraten.«

Der tapfere kleine Scherz, den sie sich zurecht-
gelegt hatte, um die Wirkung ihrer Worte abzu-
schwächen, vielleicht auch, um weniger weltfremd
zu klingen, entlockte Edward keinerlei Reaktion.
Er blieb unergründlich, eine zweidimensionale,
vollkommen reglose Gestalt vor dem Meereshinter-
grund. Mit einer unsicheren, flatterigen Bewegung
hob sie die Hand an die Stirn, um sich eine unsichtbare Strähne aus dem Gesicht zu streichen. Vor
lauter Nervosität begann sie, schneller zu sprechen,
ohne jedoch dabei ihre präzise Betonung zu verlieren. Wie ein Schlittschuhläufer auf dünnem Eis
erhöhte sie das Tempo, um nicht einzubrechen. Sie
fegte durch ihre Sätze, als ergäbe allein die Ge-
schwindigkeit schon einen Sinn, als könnte sie ihren Mann an Widersprüchen einfach vorbeizerren,
ihn so rasch um die Kurven ihrer Absichten schwin-

gen, daß er keinen Einwand zu fassen bekam. Doch weil sie die Worte nicht verschliff, klang sie ziemlich forsch, obwohl sie sich eigentlich verzweifelt fühlte.

»Ich habe lange darüber nachgedacht, und was ich sagen will, ist nicht so dumm, wie es sich vielleicht anhört. Beim ersten Mal, meine ich. Wir lieben uns – das ist eine Tatsache. Keiner von uns beiden zweifelt daran. Wir wissen, wie glücklich wir uns machen können. Und jetzt steht es uns frei, unsere eigene Wahl zu treffen, unser eigenes Leben zu führen. Niemand kann uns mehr sagen, wie wir zu leben haben. Frei und unabhängig! Heutzutage gibt es alle möglichen Arten des Zusammenlebens, die Menschen leben nach ihren eigenen Regeln und Maßstäben, ohne jemanden dafür um Erlaubnis bitten zu müssen. Mummy kennt zwei Homosexuelle, die wie Mann und Frau in einem Apartment wohnen. Zwei Männer, in Oxford, in der Beaumont Street. Niemand verliert ein Wort darüber. Beide unterrichten übrigens am Christ Church College. Kein Mensch macht ihnen deshalb Ärger. Und wir können uns auch unsere eigenen Regeln schaffen. Nur weil ich weiß, wie sehr du mich liebst, kann ich dir das sagen. Was ich meine, ist Folgendes – Edward, ich liebe dich, aber wir müssen nicht wie alle anderen sein, kein Mensch, überhaupt niemand braucht zu wissen..., was wir tun oder nicht tun. Wir könnten zusammensein, zusammenleben, und wenn du wolltest, wirklich wolltest, meine ich, wenn es dann mal passiert, und natürlich wird es dazu kommen, dann würde ich das verstehen, mehr noch, ich würde es wollen, das würde ich, weil ich möchte, daß du frei und glücklich bist. Ich wäre niemals eifersüchtig, solange ich wüßte, daß du mich liebst. Ich würde dich lieben und Geige spielen, mehr wünsche ich mir in meinem Leben nicht. Ehrlich. Ich will einfach nur bei dir sein, für dich sorgen, glücklich mit dir sein, mit dem Quartett arbeiten und dir eines Tages etwas vorspielen, etwas so Schönes wie das Stück von Mozart, und das in der Wigmore Hall.«

Sie hielt abrupt inne. Sie hatte eigentlich nicht über ihre musikalischen Pläne reden wollen und glaubte, daß es ein Fehler gewesen war.

Er stieß einen Laut zwischen den Zähnen hervor, mehr ein Zischen als ein Seufzen, und ehe er zu reden begann, entwich ihm ein leises Japsen. Seine Empörung war so groß, daß sie wie ein Triumph klang. »Mein Gott, Florence! Verstehe ich dich richtig? Du willst, daß ich was mit anderen Frauen habe? Stimmt das?«

»Nicht, wenn du nicht willst«, antwortete sie ruhig.

»Du sagst mir, ich könnte es mit jeder anderen machen, nur nicht mit dir?«

Sie gab keine Antwort.

»Hast du eigentlich vergessen, daß wir heute geheiratet haben? Wir sind keine zwei alten Schwuchteln, die heimlich in der Beaumont Street zusammenleben. Wir sind Mann und Frau!«

Die untere Wolkendecke riß wieder auf, und obwohl kein direktes Mondlicht einfiel, wanderte ein schwacher, von einer höheren Wolkenschicht gedämpfter Schimmer über den Strand und erreichte auch das Paar, das neben dem mächtigen, entwurzelten Baum stand. In seiner Wut bückte sich Edward, um einen großen, glatten Stein aufzuheben, den er in seine rechte Hand klatschte, dann in seine linke.

Er schrie jetzt fast. *Mit meinem Leib verehre ich dich!* Das hast du mir heute versprochen. Vor allen Leuten. Begreifst du nicht, wie widerlich und lächerlich dein Vorschlag ist? Und wie du mich damit beleidigst? Mich beleidigst, mich! Ich meine, ich...« Er suchte nach Worten. »Wie kannst du es wagen!«

Er machte einen Schritt auf sie zu, die Hand mit dem Stein erhoben, dann wirbelte er herum und schleuderte ihn in seiner Verzweiflung in Richtung Meer. Noch ehe der Kiesel kurz vor dem Wasser aufschlug, fuhr Edward wieder zu ihr herum. »Du hast mich reingelegt. Eigentlich bist du eine Betrügerin. Und ich weiß genau, was du sonst noch bist. Weißt du das auch? Du bist frigide, das bist du. Völlig frigide. Aber du hast dir gedacht, du brauchst einen Mann, und ich war eben der erste Idiot, der dir über den Weg gelaufen ist.«

Sie wußte, sie hatte ihn nicht absichtlich getäuscht, aber alles andere schien völlig wahr zu sein, sobald er es aussprach. Frigide, dieses schreckliche Wort, von dem sie genau wußte, wie es zu ihr paßte. Ihr war klar, was das Wort bedeutete. Ihr Vorschlag war widerlich – wieso hatte sie das nicht gleich gemerkt? – und zweifellos eine Beleidigung. Schlimmer noch, sie hatte ihr Versprechen gebrochen, das sie in der Kirche, in aller Öffentlichkeit gegeben hatte. Sobald er zu reden begann, paßte alles genau zusammen. Sie war nichtswürdig, in seinen ebenso wie in ihren eigenen Augen.

Sie hatte nichts mehr zu sagen und trat aus dem Schutz des umgestürzten Baumstammes. Um zum Hotel zu kommen, mußte sie an ihm vorbeigehen, doch blieb sie direkt vor ihm noch einmal stehen und sagte mit einer Stimme, die kaum mehr als ein Flüstern war: »Vergib mir, Edward. Es tut mir außerordentlich leid.«

Einen Moment verharrte sie, zögerte, wartete

auf seine Antwort, dann machte sie sich auf den Weg.

Ihre Bemerkung, die etwas altmodische Wahl der Worte, sollte ihn noch lange verfolgen. Manchmal wachte er nachts auf und hörte Florence, vielleicht auch nur ihr Echo, ihren sehnsüchtigen, bedauernden Tonfall, und dann stöhnte er auf bei der Erinnerung an jenen Augenblick, an sein Schweigen und daran, wie er sich wütend von ihr abgewandt hatte, wie er nach ihrer Kränkung, Demütigung und Beleidigung noch eine Stunde am Strand geblieben war und genüßlich seine Schmach ausgekostet hatte, zutiefst davon überzeugt, auf tragische Weise durch und durch im Recht zu sein und ein unfaires Schicksal zu erleiden. Er lief am Strand auf und ab, schleuderte Kiesel ins Meer und schrie ihnen obszöne Flüche nach. Dann sackte er neben dem Baum zusammen und versank in träumerisches Selbstmitleid, bis seine Wut erneut aufflammte. Er trat ans Ufer, dachte an Florence und merkte nicht, wie die Wellen über seine Schuhe spülten. Schließlich trottete er langsam über den Strand zurück, blieb aber immer wieder stehen, um in Gedanken einen gestrengen, unparteiischen Richter anzurufen, der seinen Fall bis ins Detail verstand. In seinem Elend kam er sich beinahe heroisch vor.

Als er im Hotel ankam, hatte Florence ihre Tasche gepackt und war abgereist. Im Zimmer war keine Nachricht für ihn. Am Empfang sprach er mit den beiden Burschen, die ihnen das Dinner serviert hatten. Sie machten keine Bemerkung, waren aber offenkundig erstaunt, daß er nichts vom Krankheitsfall in der Familie wußte und auch nichts davon, daß man seine Frau dringend gebeten hatte, sofort nach Hause zurückzukehren. Der Direktionsassistent war so freundlich gewesen, sie nach Dorchester zu fahren, wo sie den letzten Zug nach Oxford zu erwischen hoffte. Als Edward sich abwandte, um wieder zur Hochzeitssuite hinaufzugehen, sah er zwar nicht, wie sich die jungen Männer einen bedeutungsvollen Blick zuwarfen, konnte es sich aber bestens vorstellen.

Den Rest der Nacht lag er wach im Himmelbett, vollständig angezogen und immer noch wütend. In einem wilden, endlosen Reigen wirbelten seine Gedanken im Kreis herum. Ihn zu heiraten und dann zu verschmähen, das war ungeheuerlich, die wollte glatt, daß er es mit anderen Frauen machte, würde dabei womöglich noch zusehen, so eine Demütigung, einfach unglaublich, keiner nähme ihm das ab, sagte, sie liebe ihn, dabei hatte er ihre Brüste kaum je zu Gesicht gekriegt, hatte ihn in die Ehe gelockt, wußte nicht mal, wie man küßt, hatte ihn reingelegt, ihn ausgetrickst, durfte niemand wissen, mußte sein Geheimnis bleiben, daß sie ihn geheiratet und dann verschmäht hatte, das war ungeheuerlich...

Kurz vor dem Morgengrauen stand er auf, ging in das vordere Zimmer, stellte sich hinter seinen Stuhl, schabte die geronnene Bratensoße vom Fleisch und von den Kartoffeln und aß alles auf. Anschließend machte er sich über ihre Portion her – ihm war egal, wessen Teller es war. Danach vertilgte er sämtliche Täfelchen Pfefferminzschokolade und dann den Käse. Bei Tagesanbruch verließ er das Hotel und fuhr mit Violet Pontings kleinem Wagen kilometerweit über schmale, von hohen Hecken gesäumte Landstraßen, während der Geruch nach Mist und frischem Heu durch das offene Fenster drang, bis er dann schließlich auf die leere Hauptverkehrsstraße nach Oxford einbog.

Er stellte das Auto vor dem Haus der Pontings ab und ließ den Schlüssel stecken. Ohne einen Blick hinauf zu ihrem Fenster eilte er bereits kurz danach mit dem Koffer durch die Stadt, um noch den Frühzug zu erwischen. Vor Erschöpfung wie betäubt, machte er sich dann auf den langen Weg von Henley nach Turville Heath und mied dabei sorgsam jene Route, die Florence im Jahr zuvor genommen hatte. Warum sollte er in ihre Fußstapfen treten? Zu Hause angekommen, weigerte er sich, seinem Vater das Vorgefallene zu erklären. Seine Mutter hatte die Hochzeit längst wieder vergessen. Die Zwillinge setzten ihm mit ihren Fragen und schlauen Vermutungen so lange zu, bis er sie mit ans andere Gartenende nahm und Harriet wie Anne einzeln und feierlich schwören ließ, Hand aufs Herz, daß sie den Namen Florence nie wieder in den Mund nehmen würden. Eine Woche später erfuhr er von seinem Vater, Mrs. Ponting habe, tüchtig, wie sie war, bereits alle Hochzeitsgeschenke zurückschicken lassen. Lionel und Violet beschlossen ohne viel Aufhebens, die Scheidung zu beantragen, da die Ehe nicht vollzogen worden war.

Auf Anraten seines Vaters schrieb Edward an Geoffrey Ponting, den Vorsitzenden der Ponting Electronics, einen höflichen Brief, in dem er seinen »Sinneswandel« bedauerte und sich entschuldigte, ohne Florence mit einem Wort zu erwähnen, um dann von der angebotenen Stelle zurückzutreten und mit kurzem Gruß zu schließen.

Etwa ein Jahr später hatte sich seine Wut gelegt, aber er war immer noch zu stolz, um bei ihr vorbeizugehen oder ihr zu schreiben. Er fürchtete, Florence könnte mit jemand anderem zusammensein, und als er nichts mehr von ihr hörte, war er sogar davon überzeugt. Gegen Ende dieses gefeierten

Jahrzehnts dann, als nicht nur neue Reize, Freiheiten und Moden, sondern auch zahlreiche Affären sein Leben ziemlich anstrengend machten – letzten Endes war er doch noch ein ganz passabler Liebhaber geworden –, dachte er oft an jenen merkwürdigen Vorschlag zurück und fand ihn längst nicht mehr lächerlich, schon gar nicht widerlich oder etwa beleidigend. Unter den veränderten Umständen schien er ihm sogar ziemlich liberal und seiner Zeit weit voraus gewesen zu sein, auf unschuldige Weise großzügig, eine Bereitschaft zur Selbstaufopferung, die er damals überhaupt nicht verstanden hatte. »Mann, was für ein Angebot«, hätten seine Freunde wahrscheinlich gesagt, nur hatte er mit niemandem je über diesen Abend geredet. Ende der sechziger Jahre lebte er längst in London. Wer hätte eine solche Zeitenwende vorhersagen können, diese plötzliche, sorglose Sinnlichkeit, die unkomplizierte Willigkeit so vieler schöner Frauen? Edward streifte durch jene kurzen Jahre wie ein staunendes, zufriedenes Kind, das, von langer Strafe erlöst, sein Glück kaum fassen konnte. Den Plan einer Reihe von Biographien hatte er ebenso aufgegeben wie überhaupt jeden Gedanken an ernsthafte Gelehrsamkeit, dabei hatte es nie einen bestimmten Zeitpunkt gegeben, an dem er eine bewußte Entscheidung über seine Zukunft gefällt hätte. Wie der arme

Sir Robert Carey ließ er die Geschichte einfach hinter sich, um behaglich in der Gegenwart zu leben.

Er half, diverse Rock-Festivals zu organisieren, war Mitgründer eines Naturkostlokals in Hampstead, arbeitete in Camden Town unweit vom Ärmelkanal in einem Plattenladen, schrieb Konzertbesprechungen für kleine Rockmusikzeitschriften, hatte eine Reihe chaotischer Affären, manchmal mehrere gleichzeitig, machte eine Frankreichreise mit einer Frau, mit der er dreieinhalb Jahre verheiratet war, und wohnte mit ihr in Paris. Anfang der siebziger Jahre wurde er dann Miteigentümer des Plattenladens. Um Zeitungen zu lesen, war er viel zu beschäftigt; außerdem war er eine Weile der Meinung, man könne der bürgerlichen Presse sowieso nicht trauen, da sie, wie jedermann wußte, vom Staat, dem Militär und von der Hochfinanz kontrolliert wurde – eine Ansicht, die er später revidierte. Doch selbst wenn Edward in jenen Tagen Zeitung gelesen hätte, wären die Feuilletonseiten mit ihren ausführlichen, tiefsinnigen Konzertbesprechungen wohl kaum von ihm aufgeschlagen worden. Er verlor das gerade erst aufgekeimte Interesse für klassische Musik wieder vollständig zugunsten seiner Begeisterung für Rock 'n' Roll. Deshalb hörte er auch nichts vom triumphalen Debüt des Ennismore-Quartetts in der Wigmore Hall im Juli 1968. Der

Kritiker der *Times* begrüßte das »frische Blut in der Musikszene« und lobte das »tiefe Verständnis, die verhaltene Intensität, die Prägnanz des Vortrags«, die »eine erstaunliche musikalische Reife der nicht einmal dreißigjährigen Musiker« verrate. »Mit meisterhafter Mühelosigkeit beherrschen sie die gesamte Palette der harmonischen und dynamischen Effekte und auch jene dichte Kontrapunktik, die für Mozarts Spätstil so typisch ist. Noch nie wurde sein D-Dur-Quintett so einfühlsam gespielt.« Am Ende der Besprechung hob er besonders die erste Geige hervor. »Darauf folgte ein schmerzlich expressives Adagio von vollendeter Schönheit und spiritueller Kraft. Mit ihrer einfühlsamen Zärtlichkeit und der lyrischen Feinheit ihrer Phrasierung spielte Miss Ponting, falls ich es einmal so formulieren darf, wie eine Frau, die nicht nur in Mozart und die Musik, sondern in das Leben selbst verliebt ist.«

Selbst wenn Edward die Besprechung unter die Augen gekommen wäre, hätte er nicht wissen können – dies konnte niemand außer Florence –, daß in dem Augenblick, als die Scheinwerfer im Saal wieder angingen und die jungen Musiker sich wie betäubt erhoben, um den überwältigenden Applaus entgegenzunehmen, der Blick der ersten Geigerin unwillkürlich in die Mitte der dritten Reihe wanderte, zu Platz 9c.

Wann immer Edward in späteren Jahren an Florence dachte, in Gedanken mit ihr redete, sich vorstellte, ihr zu schreiben oder ihr auf der Straße zufällig zu begegnen, war ihm, als würde er kaum eine Minute brauchen, kaum eine halbe Seite, um sein Leben zusammenzufassen. Was war aus ihm geworden? Er hatte sich treiben lassen, wie im Halbschlaf, achtlos, kinderlos, ohne jeden Ernst und Ehrgeiz, doch nicht ohne Komfort. Seine bescheidenen Errungenschaften waren zumeist materieller Natur. Er besaß eine winzige Wohnung in Camden Town, war Miteigentümer eines Ferienhauses mit zwei Schlafzimmern in der Auvergne, und ihm gehörten zwei Spezialplattenläden für Jazz und Rock 'n' Roll, ziemlich wacklige Unternehmen, die nach und nach vom Internetshopping verdrängt wurden. Er hoffte, seinen Freunden ein guter Freund zu sein, und hatte auch einige phantastische, wilde Jahre erlebt, vor allem in der ersten Zeit. Er war Pate von fünf Kindern, doch begann er für sie erst wichtig zu werden, als sie bereits aus dem Teenageralter heraus waren.

1976 starb Edwards Mutter, und vier Jahre später zog er wieder nach Hause, um seinen Vater zu pflegen, der an einer rasch fortschreitenden Parkinson-Krankheit litt. Harriet und Anne waren verheiratet und lebten mit ihren Kindern im Ausland.

Edward, mittlerweile vierzig, hatte eine gescheiterte Ehe hinter sich. Dreimal in der Woche fuhr er nach London und kümmerte sich um seine Geschäfte. Sein Vater starb 1983 zu Hause und wurde auf dem Friedhof von Pishill neben seiner Frau begraben. Edward blieb als Mieter im Elternhaus, das inzwischen in den Besitz seiner Schwestern übergegangen war. Anfänglich nutzte er es von Camden Town aus als ruhigen Zufluchtsort, doch Anfang der neunziger Jahre zog er ganz um und lebte dort allein. Rein äußerlich hatte sich Turville Heath, zumindest der Winkel, in dem er wohnte, seit seiner Jugend kaum verändert. Statt Landarbeiter und Handwerker waren seine Nachbarn jetzt Pendler oder Besitzer von Wochenendhäusern, doch schienen sie durchweg angenehme Menschen zu sein. Edward hätte sich selbst nie unglücklich genannt – zu seinem Londoner Freundeskreis gehörte eine Frau, die er sehr gern hatte; bis weit über fünfzig war er aktiv im Kricketklub von Turville Park, engagierte sich im historischen Verein von Henley und beteiligte sich an der Neuanlage der alten Brunnenkressebeete in Ewelme. Zwei Tage im Monat arbeitete er für eine in High Wycombe ansässige Stiftung, die sich für hirngeschädigte Kinder einsetzte.

Selbst mit über sechzig Jahren unternahm er,

ein kräftiger Mann mit schütterem, weißem Haar und rosigem, gesundem Teint, noch lange Wanderungen. Sein täglicher Spaziergang führte ihn durch die Lindenallee, und bei gutem Wetter nahm er die Rundstrecke, um sich die Wildblumen auf der Wiese von Maidensgrove oder die Schmetterlinge im Naturreservat von Bix Bottom anzusehen und auf dem Rückweg durch den Buchenwald an der Kirche von Pishill vorbeizukommen, auf deren Friedhof auch er gewiß eines Tages liegen würde. Manchmal kam er mitten im Wald an eine Weggabelung und fragte sich müßig, ob sie an jenem Morgen im August hier stehengeblieben war, um auf ihre Karte zu schauen; und er konnte sich lebhaft vorstellen, wie sie, nur wenige Schritte und vierzig Jahre entfernt, so unbeirrt auf dem Weg zu ihm war. Oder er genoß an einer anderen Stelle den Blick ins Stonor-Tal und fragte sich, ob sie hier wohl Pause gemacht hatte, um ihre Apfelsine zu essen. Endlich konnte er sich eingestehen, daß er nie wieder jemanden kennengelernt hatte, den er so liebte wie sie, daß er nie wieder jemanden getroffen hatte, Mann oder Frau, der es an Ernsthaftigkeit mit ihr aufnehmen konnte. Wäre er mit ihr zusammengeblieben, hätte er sein Leben vielleicht aufmerksamer und zielstrebiger gelebt, hätte vielleicht sogar die Geschichtsbücher geschrieben. Und obwohl er sich für derlei eigentlich nicht weiter interessierte, wußte er, daß es das Ennismore-Quartett noch gab, daß es als ein Ensemble für klassische Musik noch immer hochgeschätzt wurde. Er wäre nie in eines der Konzerte gegangen, hätte auch nie eine Aufnahme mit dem Quartett von Beethoven oder Schubert gekauft, sie auch nur in die Hand genommen. Er wollte kein Photo von Florence sehen und feststellen, was ihr die Jahre angetan hatten, wollte keine Einzelheiten über ihr Leben wissen. Er zog es vor, sie so in Erinnerung zu behalten, wie sein Gedächtnis sie ihm zeigte, mit Löwenzahn im Knopfloch und Samtband im Haar, die Segeltuchtasche über der Schulter und ihr breites, offenes Lächeln in ihrem schönen, markanten Gesicht.

Wenn er an sie dachte, staunte er, daß er das Mädchen mit der Geige hatte gehen lassen. Natürlich wußte er längst, daß ihr aufopferungsvoller Vorschlag letztlich bedeutungslos gewesen war. Sie hatte nur die Gewißheit seiner Liebe gebraucht und die Bestätigung, daß keine Eile geboten war, da das ganze Leben noch vor ihnen lag. Mit Liebe und Geduld – hätte er doch bloß beides gehabt – wären sie schon zurechtgekommen. Welch ungeborene Nachkommen hätten dann ihre Chance erhalten, welches junge Mädchen mit Stirnband im Haar wäre sein geliebtes Kind geworden? So kann sich der

Lauf eines Lebens ändern – durch Nichtstun. Am Strand von Dorset hätte er Florence nachrufen, ihr nacheilen können. Damals wußte er nicht und hätte es auch nicht wissen wollen, daß sie ihn nie stärker, nie verzweifelter als in jenem Moment geliebt hatte, als sie von ihm ging und in ihrem Kummer überzeugt war, ihn zu verlieren, daß der Klang seiner Stimme ihr wie eine Erlösung vorgekommen, daß sie sofort umgekehrt wäre. Statt dessen verharrte er in eisigem, rechthaberischem Schweigen und ließ sie in der einbrechenden Dunkelheit über den Strand davoneilen, während sich das Geräusch ihrer mühsamen Schritte in der Brandung sachter Wellen verlor, bis sie nur noch ein verschwommener, kleiner Punkt auf dem ungeheuer langen, schnurgeraden, im fahlen Licht schimmernden Kieselstreifen war.

Die Personen dieses Romans sind frei erfunden, Ähnlichkeiten mit Lebenden oder Toten sind zufällig und nicht beabsichtigt. Das Hotel von Edward und Florence – auf einer Anhöhe etwas mehr als eine Meile südlich von Abbotsbury in Dorset am Feldrand gleich hinter dem Strandparkplatz – gibt es nicht.

Ian McEwan